文春文庫

ニューヨークの魔法の約束

岡田光世

文藝春秋

ニューヨークの魔法の約束

contents

第3章　どんでん返し

第4章　とっておきの出会い

第5章　愛しいあなた

第6章　ニューヨークな気分

第7章　出会い、再会、そして別れ

はじめに

ちょっと寝たいんだけど、私の駅に着いたら起こしてくれる?

ニューヨークは、地下鉄で隣にすわった赤の他人が、こんな頼みごとをしてくる街だ。

大都会なのに、人情味あふれる街の片隅で、交わされるいくつもの「約束」がこの本にはある。

Promise?（約束する?）

そう問いかけられ、まだ果たせていないことはあるけれど、人生は「約束」の連続だ。

「約束」の本を書こうと思ったわけではなかった。今、心にあることを、ただひたすらつづり、一冊、書き上げた。さて、タイトルを考えなければ、と思っていたとき、フェイスブックで私が何気なくつぶやいた。

「タイトル、空から降ってこないかな」

と、降ってきたのである。わずか八分後に。空からではなく、「ニューヨークの魔法」シリーズ（文春文庫）の読者から。しかも、九つも。

そのひとつが「ニューヨークの魔法のやくそく」だった。

もちろん、一読者だから、私の原稿を一文字も読んでいないし、内容を知る由もない。

「約束」という言葉を頭に、私は書き上げたばかりの原稿をぱらぱらめくってみた。

ニューヨークの地下鉄で、バラの花売りの女性と、花を買った男性の「奇跡の約束」。

地下鉄で、若い女性とホームレスの男性が指を絡ませ、「小指の約束」。

私の恩師が、自分の恩師の思いを私へ。そして、その思いを私が「継いでいく約束」。

涙しながら書いた最終章は、ドンとの出会い、再会、別れ、そして「約束」だ。

太平洋戦争の激戦地、硫黄島で日本兵と闘い、九死に一生を得たこの男性と、十六年前に偶然、知り合った。彼は私を前にして、胸の奥に封印していた戦争体験を初めて、ひとつひとつ絞り出すように語り始めた。

親しくなっても越えられない壁がある——。

その後、私たちの音信は途絶える。が、十数年ぶりに思い切って電話をかけた私に、ドンが言った言葉は、「また会いにきてほしい。僕たちふたりの約束だ」だった。

そして最後に、彼と私は、もうひとつの「約束」を果たした。

タイトルが降ってきた話を初代担当編集者にすると、彼女は驚いた。

「岡田さんの読者、何者ですか。さすが、魔法使いの弟子は、ただ者ではないですね」

「ニューヨークの魔法」シリーズは、孤独な大都会、ニューヨークを舞台に、人とのささやかな触れ合いを描いたエッセイ集だ。登場するのは、街角や地下鉄でたまたま出会った、見知らぬ人たちがほとんどだ。

この街は意外にも、オープンでフレンドリーである。横柄で愛想のない人に出会っても、めげずに心を開けば、それを実感するはずだ。本書に登場するプレッツェルの屋台のおじさんや、一緒にサーカス鑑賞した肝っ玉母さんも、最初はそんな感じだった。

第一弾『ニューヨークのとけない魔法』が予想以上に多くの人たちに読まれ、その後、シリーズ化されて、三十五万部突破のロングセラーとなった。本書はその第七弾だ。一話ずつ完結しているので、どの本のどの話から読んでも楽しめる。

あたかも読者が一緒に出会いを経験しているように、簡単なのに心に響く英語のフレーズを、そのまま、自然な訳とともに残している。エッセイの終わりに抜粋した英文の訳は、わかりやすいように、直訳に近いものもある。

この本は文庫書き下ろしである。これまで同様、さりげないやさしさやユーモアあふれる、心に残る出会いの数々が、描かれている。

世界を飛ぶパイロットの夫と一瞬たりとも離れたくない、愛らしい中年女性。マンハッタン散策が大好きな山羊の意外な結末。ビリー・ジョエルのコンサートの幻と現実。大統領選vsカーネギーホールの歌舞伎公演など、今回も笑いあり涙ありの一冊になった。

私が撮影した三十数枚のモノクロ写真は、〝魔法の一瞬〟を切り取った。手作りの恐竜、思いを継ぐブローチなど、話に登場するものを撮影した写真もある。

今回、とくに読んでほしいのが、太平洋戦争中に、まったく異なる立場で日本と関係のあったふたりの話だ。前述のドン。そして日本統治下の韓国で生まれ育ち、ニューヨークに移住したグレイスだ。ふたりとも私にとって、かけがえのない友となった。

最後にひとつ。本書では、著者がbeautifulと言われる話が、たまたま何度か出てくる。

私と面識のない読者は、「この著者は、美人だということを吹聴して」と鼻につくかも、と心配する私に編集者が、「じゃあ、実物の写真を載せましょうか」と答えた。

失礼な！　と笑ったものの、まあ、そういうことである。

だから、自分の容姿に自信のない人も、シミが気になる人も。毎日がつまらない人も、生きている意味がわからない人も。人づき合いが苦手な人も、シャイな人も。

Welcome to New York.（ニューヨークへようこそ）

さあ、ページをめくってください。

読み終えたときには、きっと自分に「約束」したくなるはず。

私自身が、ニューヨークの人たちから教えてもらったことを。

もっとわくわくする人生を、思いっ切り、生きよう、と。

岡田光世

本文写真・岡田光世
デザイン・大久保明子

引用出典
78頁）「上を向いて歩こう」（1961）作詞・永六輔　作曲・中村八大
135頁）「夕焼け小焼け」（1923）作詞・中村雨紅　作曲・草川信

本書は文春文庫のための書き下ろし作品です。

第１章
街角の奇跡

花売りに起きた奇跡

地下鉄の車内でバラの花を売っている女の人の前に、ダークスーツ姿の細身の若い男性が現れた。女性のカートには、色とりどりのバラがあふれんばかりに入っている。

一本一ドル。十五本ほしいなら、十四ドルにするわ、と花売りの女性が説明する。

男性が、バラは全部で何本あるのかと聞き、花売りの女性が百四十本と答えたようだ。

百四十、と男の人が言った。

花売りの女性は、意味がわからない。

百四十ドル、払うよ。そう言って、お札（さつ）を何枚か取り出した。女性は困惑している。

But you have to do me a favor.

でも、君にお願いがあるんだ。男性は、花売りの女性に頼んだ。

今日はもうこれ以上、花を売らずに、僕が買ったバラを乗客たちに配ってほしい、と。

花売りの女性は、やがて彼のその思いを知ると、激しく泣き出した。

そんなふうにしないでくれよ。今日はハッピーな日なんだ。

Give all the flowers away.

花を全部、あげてくれ。

Promise?

約束してくれるかい？

女性は感極（きわ）まって、言葉が出ない。

男性に念を押され、震える声でやっと口にした。

Promise.

約束、します。

男性は花売りの女性と握手を交わすと、バラを一本も持たずに、電車を降りていった。

彼女はしばらくむせび泣いていたが、やっとの思いで乗客に向かって声を振り絞るように呼びかけた。

バラがほしい人、どうぞもらいに来てください。無料のバラです。みんな、もらいに来て。

乗客の間から、明るい笑い声と拍手がわき起こった。

バラをもらおうとする人は、誰（だれ）もいなかった。

Give all the flowers away.

花を全部、みんなにあげてくれ。

少年を追いかける私を追いかける

遊びとは思えない、真剣なまなざし。それを写真に収めたかった。

夏の夕方、セントラルパークで、少年がシャボン玉を飛ばして遊んでいた。手にしっかり握っているのは、ディズニーのアニメ・キャラクター「ニモ」の形をしたバブルガンだ。

シャボン玉を飛ばしては、それを見つめながら力強く腕を上げて、空手の型のようなポーズを取ったかと思うと、勢いよく走り出し、立ち止まってまた、シャボン玉を飛ばしては、ポーズを取り、勢いよく走り出す。

そばにいた男性は、父親のようだった。

許可をもらうべきだと思ったが、一瞬を逃したくない。

後先考えずに、レンズを向けた。

少年はすばしっこい。

カメラを構えて少年を追いかけ回している私を、そばでお父さんが見ている。

息子の写真を勝手に撮られ、気分を害しているのだろうか。
と、思ったとたん、父親が私のあとを追いかけてきた。
やっぱり、きちんと断るべきだった。
Go!
行け！
父親が私に向かって怒鳴った。
あっちへ行け！　息子の写真を、俺の許可もなく撮るな。
そう叫んでいるのか。
Go!
よく見ると、父親は、息子の走る方向を指差している。
Go! Go!
行け！　行け！
Did you get it?
撮れたのか。
No.
いいえ。
You missed it?

なんだ、逃したのか。
I'm sorry.
すみません。
Capture the moment!
一瞬をとらえるんだ！

息子に負けず、真剣なお父さん。
お父さんにしかられ、必死になる私。

写真を送ります。
ふたりに約束したけれど、その勇気がない。
ほら、お父さんの声が聞こえてくる。
なんだ、この写真は。息子の大事な「ニモ」が、切れちゃってるじゃないか。

Capture the moment!
一瞬をとらえるんだ！

五番街の山羊さん

人込みのなか、私たち夫婦は五番街のセント・パトリック・デーのパレードを見物していた。夫がふと気がつくと、隣で一緒に並んでパレードに見入っていたのは、私ではなく、山羊だった。

私も、ニューヨークの地下鉄を降り、腕を組んでいた夫の顔を見上げると、見も知らぬ白人の男性だった、という経験はある。いったい、あなたはだあれ？　と驚いた。が、あちらは、人種は違えど、同じニンゲンだった。こちらは、頭に角が生えている。マンハッタンに山羊……。そうつぶやく夫を、面長に伸びた三角顔が、穏やかな愛らしい目で見つめる。

パレード、楽しいじゃありませんか、とほほ笑んでいるように。

前方向にカールした両ヒゲが、お茶目だ。

ギリシャで一年間、生活したことがある夫。ここはエーゲ海の島か、と錯覚しかけた。

ニューヨークのギリシャ・レストランで一度、ランチ・スペシャルの山羊のお頭を注文した。そのときの恨みか。いや、あれは確か、君の仲間ではない。羊だった。

パレードの出し物かと思いきや、どうやらニンゲンに交じって見物に訪れたらしい。

じつはマンハッタンは、この山羊のお気に入りの散歩コースだったのだ。

タイムズ・スクエアをぶらぶらし、ニンゲンと交流を楽しみ、セントラルパークの岩の上で、飼い主のハーモニカの音を聴きながらのんびりくつろぐ。

そして、地下鉄に乗って、リトルイタリーのレストランへ向かう。ピザもよく食べるけれど、一番の好物は上質の紙ナプキンらしい。

山羊の名前は、ココア。飼い主は、独り暮らしの中年男性だ。ニューヨークの川向こうのニュージャージー州で、一緒にのんびり暮らしている。飼い主の家のクローゼットいっぱいに干し草が詰め込まれ、ココアはそこに首を突っ込んで、ご馳走をいただく。

ココアは、農場も山羊も好きじゃないんだ。好きなのは、大都会マンハッタンの喧騒と、そこに住むニンゲンたちだよ、と飼い主が代弁する。

自然豊かな郊外に住みながら、エキサイティングなシティライフも楽しむ。ニューヨーカーの誰もがうらやむ生活を、ココアは送っている。

Cocoa enjoys the best of both worlds.

ココアは、両方の最高の世界を楽しんでいる。

ココアを見かけた人たちは皆、笑顔になる。車を運転している人も、ココアを見かけると思わずスピードを落とすから、交通渋滞で問題になったこともある。

飼い主は言う。

有名になりたいとか、目立ちたいとか、そういう邪心（じゃしん）はない。ココアを見た人が笑顔になって、話しかけてくれる。ただ、それがうれしい。

後日、初めてココアを目にしたときと同じくらい、驚くことが起きた。

「有名な山羊男　十九歳の女性に性的暴行を加えた容疑で逮捕」

これって、あのココアの飼い主だよ、とニューヨーカーたちはうわさした。

留置場でうずくまる山羊男。

マンハッタンを散歩するココアに負けず劣らず、飼い主も意外なところにいたものだ。

夫のパレード見物の友、ココアは今、どこに。

Cocoa enjoys the best of both worlds.

ココアは、両方の最高の世界を楽しんでいる。

路上に咲くマーラの紙の花

路上で生活しているのだろうか。脇に大きなビニール袋が三つ、伸ばしたジーンズの足の間には真っ赤なビニール袋と、同じく真っ赤な大きなテントウ虫の入れ物が置かれている。

大きく開いたテントウムシの背中と、筒状の入れ物に、色とりどりのペーパーフラワーが刺さっている。

その若い黒人の女性は、グランド・セントラル駅近くの歩道に、四十二丁目の大通りを背にすわり込んでいた。黒い毛糸の帽子の下から、縦に巻いた栗色の髪が長く垂れている。グレーの厚手のジャケットを着込み、指先のない手袋をしている。

女性はビニール袋の中から、高級品の包装などに用いる薄葉紙を取り出している。

その花、あなたが作ったの？　と声をかけた。

そうだよ。

売っているの？

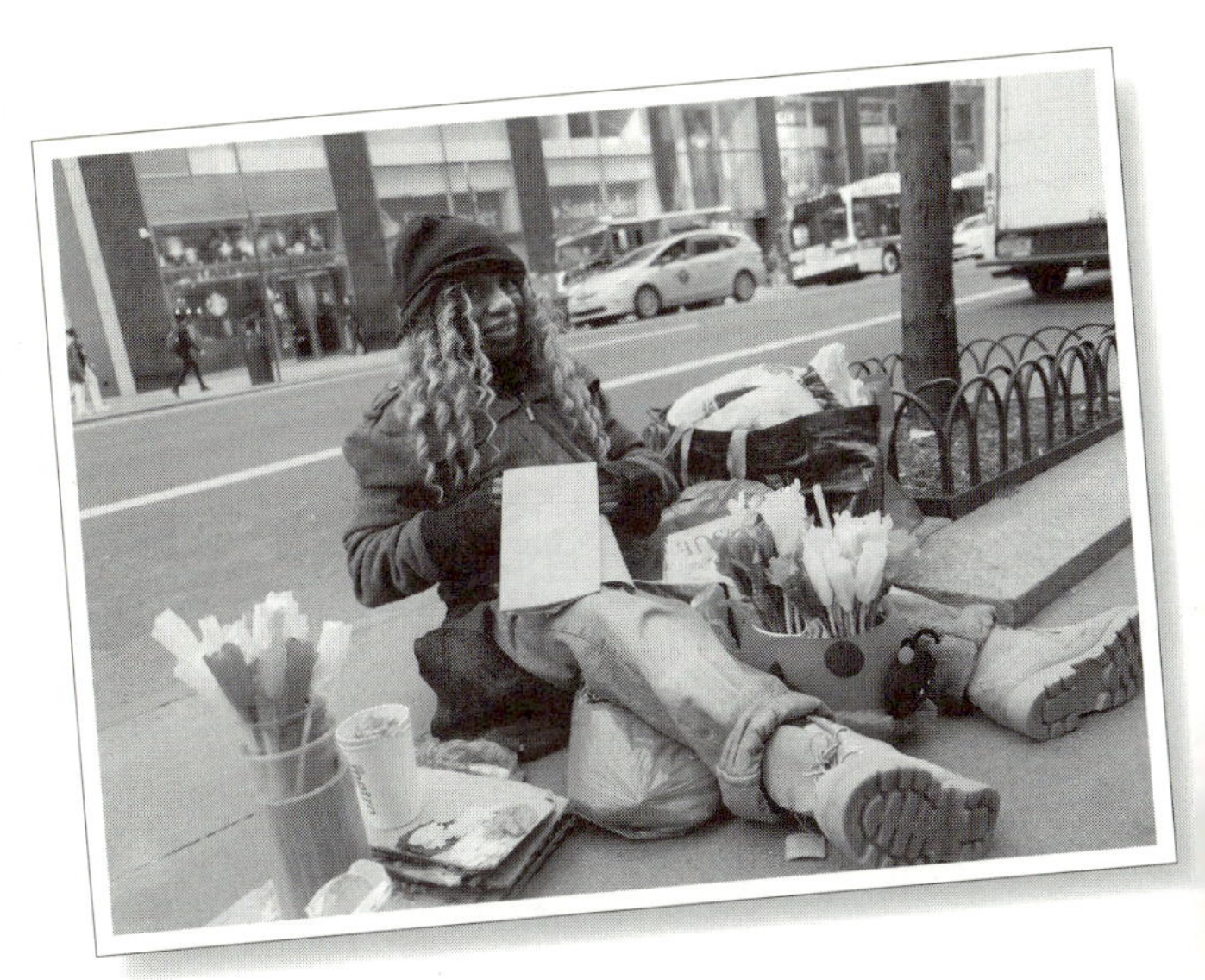

売っているっていうか、まあ、寄付は受け付けてるよ。

物を乞うているのではない。商売でもない。あなたの善意に任せて寄付を受け付けている、というのがいいではないか。

これはセント・パトリックのブーケなんだ。

そう言って、花も枝もグリーンの作品を指差す。

十日後にはすぐそばの五番街が、この日を祝うパレードでにぎわう。アイルランド系移民の祭りで、セント・パトリックはアイルランドにキリスト教をもたらした聖人だ。アイルランドのシンボルであるシャムロック（三つ葉のクローバーなど）のグリーンに、街が染まる。

これは何？

色とりどりの薄葉紙を詰めた紙コップを指して、私が尋ねる。

これは「カラーカップ」って、アタシは呼んでるんだ。

これも寄付の対象なのだろう。

私も女性と同じように、路上にしゃがみ込んだ。

三月上旬で、その日はとくに寒かった。

こんな日陰にいないで、太陽の当たるところにすわればいいのに。

ここがいいんだよ。このビルの前がいいんだよ。

彼女は目の前のガラス張りの建物を指差した。

夕方、暗くなっても、窓ガラスの反射で、アタシの花が明るく照らされるんだよ。だからみんなが、花を見てくれるんだ。アタシはちゃんと考えてるんだよ。

自分には陽が当たらず、寒くても、花に光が当たって、人目に触れてほしい。

逆境のなかでも、自分ができることを工夫して、控え目だが懸命に生きようとする、彼女のけなげさを感じた。

私はピンクの花を手に取った。見ているうちに、水色の花もほしくなった。

ふたつ、もらっていいかしら。

もちろん、いいよ。

バッグの中がいっぱいで、財布がなかなか見つからなかったので、すぐに出てきたコインをジャラジャラと手渡した。

こう寒いと、大変でしょう。

I've survived this long.

これだけ長いこと、何とかやってきたからね。

あえて聞かなかったけれど、長い間、路上生活を続けてきたようだ。寒さが厳しいときは、地下で過ごすという。

I should be all right.

なんとかなるよ、きっと。

通りすがりの若い白人男性が足を止めると、紙コップにお札を入れ、何も言わずに立ち去った。

ありがとう、と彼女が礼を言うと、振り返り、右手を挙げて、ほほ笑む。

ちゃんと食事はしてるの？

あの人がくれた二ドルで、今日は何とかなるかな。

名前を聞くと、ビニール袋から黒いマジックを取り出し、私の手帳に「マーラ(Marla)」と書いた。

マーラ。きれいな名前ね。

ありがとう。ドナルド・トランプの前の奥さんと同じ名前だよ、と笑った。

マーラは思い出したように、あっ、と叫ぶと、私の手からまた、手帳を取った。そして、自分の名前の横に花の印をひとつ、添えた。

花が好きなのね、と聞くと、少しはにかんで、うなずく。

花が好きだから、路上生活を送っていても、花にこだわり続けている。マーラのアイデンティティなのだ。

マーラに別れを告げて、歩きながらバッグの中の財布をもう一度、探してみた。奥から出てきたので、数ブロック先から彼女のところに戻り、お財布があったわ、と言って、お札を渡した。

ありがとう。

それまで、マーラの笑顔はどこかさみしげだったが、そのとき、初めて、本当にうれしそうに笑った。

お札を渡したこともそうだが、たぶん、わざわざマーラのところに戻っていったことを、喜んでくれたのだろうと思う。

体に気をつけて。

そう声をかけて、別れた。

その後、何度か同じ場所を通ったが、マーラはいなかった。

どこか別の場所にいるのだろうか。マーラは元気だろうか。

街を歩きながら、気になる友だちが、またひとり増えた。

I've survived this long.

これだけ長いこと、何とかやってきたからね。

イエローキャブの助手席

ポートオーソリティ・バスターミナルに着いたのは午前五時過ぎで、辺り(あた)はまだ薄暗かった。私はニューアーク・リバティー国際空港行きのバス乗り場へ向かうために、外に出た。

見慣れた昼間の光景とは、一変していた。無表情で道端にすわり込む、何人ものホームレスの人たち。若い女性の姿もある。何をするでもなく、たむろしている男女。どこかで、けたたましくパトカーのサイレンが鳴っている。すぐそばで叫び声が聞こえ、何事かと野次馬(やじうま)が駆けつける。目の前を警官が数人、走り過ぎていく。

こんな早朝に、しかもこんなところにいることはめったにないので、さすがの私も警戒している。

ポートオーソリティの前では、イエローキャブ（ニューヨーク市で営業資格のあるタクシー）の脇に女性ドライバーが立ち、道ゆく人に声をかける。

ニューアーク空港まで、いくらなの？

大きなバッグを引きずりながら、若い黒人の女性が近づいてきて、尋ねる。

五十ドルとトール（橋やトンネルの通行料金）だよ。

五十ドルなら、出せるんだけどね、と黒人女性は言うが、ドライバーは首を横に振る。

客はあきらめたのか、その場を去っていった。

ニューアーク空港は川向こうのニュージャージー州にある。州境を越えると、超過料金がかかって高くなる。バスなら片道十五ドルほどだ。

イエローキャブが何台か並んでいるが、女性のドライバーは彼女だけだ。

ニューヨークでこんな時間にイエローキャブを運転しているなんて、怖くないの？

私はドライバーに声をかけた。

私が怖いのは、神だけよ。神は創造主だからね。

その人は、パキスタン出身のイスラム教徒だという。

さっきの黒人女性がまだ近くをうろうろしていたので、このドライバーが呼び止めた。

Have you made up your mind yet?

どうするか、もう決めた？

五十ドル以上は無理よ。お金がないんだもの、と女性が答える。

この辺りはまだいいけれど、ペン・ステーションには、頭のおかしいやつがいっぱいいるのよ。去年の六月に、その日の稼ぎのドル札を、タクシーのドアの内ポケットに挟（はさ）

んでおいたの。若い女性客を降ろして、トランクからスーツケースを出すのを手伝って、ドアのポケットを見たら、現金がみんな、なくなってたの。四百八十ドルよ。

お客の様子がなんか変だったから、その男に気づいたんだろうけど、何も言ってくれなかった。大きなスーツケースを持っていたから、旅に出るときで、面倒なことには関わりたくなかったのね。

そのあとで、ドライバーが見ていない隙に、止まっているイエローキャブのドアをひとつひとつ開けて物色している男がいたから、あわてて自分のドアをロックしたわ。私のドアも開けようとしたから、今すぐ警察を呼ぶわよって叫んだら、逃げてった。おまわりが来たから、どんな男だったか説明してやったわ。

私が日本人と知ると、彼女は誇らしそうに、二十八歳になる息子の話をした。二年前に日本に行き、横須賀米軍基地で働いているという。

で、娘は三十二歳。

I have a daughter with no brain.

これが、頭がからっぽの娘でね。

何も考えないで行動するんだから。私の言うことなんか、聞きやしない。だから、結婚、離婚の繰り返し。バカとしか言いようがないわ。

で、あなたは？　結婚してるの？　私が聞いた。

離婚したわよ。

イエローキャブを運転して四年。前は翻訳の仕事をしていたが、解雇されたという。アラビア語もギリシャ語も話せるんだから。それはそうと、誰かがニューアーク空港に行くって言ったら、あなたを助手席に乗せて、ただで連れていってあげるわよ。

What a nice offer!

まあ、うれしいわ、ご親切に。

私はすでに、バスのチケットをオンラインで買ってあった。さもなければ、さっきの黒人女性客と割り勘で、このドライバーに乗せていってもらってもよかった。

時計を見ると、バスの発車五分前だ。これでは本当に彼女のお世話になってしまう。

ニューヨークでは、ドライバーの息子や妻が助手席に乗っているイエローキャブを、たまに見かける。私は、バスでも何でも、一番前に乗るのが好きだ。

イエローキャブの助手席の旅は、きっと楽しいだろう。でも、隣に乗っているのは、頭がからっぽの娘なの、なんて乗客に紹介するのは、勘弁してほしい。

No brain? No way!

What a nice offer!
まあ、なんてうれしい申し出なの。

Pretzel

花嫁さがし

その一週間後、マンハッタンの街角で、プレッツェルの屋台を見かけた。写真を撮らせてもらえますか、と屋台のおじさんに聞いた。

むっつりしながらも、目の前のプレッツェルを指差し、彼はその場からどいた。

しょうがねえな、勝手に撮れよ、でも、俺は撮るなよ、ということなのだろう。

何枚か、私が撮っていると、まだ終わんないのか、と声をかけてきた。

まだだよ。後ろにイエローキャブが入るように、タイミングを待っているの、と私が答える。

あっ、来た、来た、と私が再び、カメラを構える。

そのうち、イエローキャブがやってくると、おじさんも、おっ、来るぞ、来るぞ、今のは撮れたのか、などと声をあげて、反応してくれるようになる。

それでも相変わらず不愛想なおじさんに礼を言い、立ち去る。

そのあと、半日もの間、写真を撮り歩き、そろそろ帰ろうと地下鉄の駅に向かっていると、さっきのおじさんの屋台が目に入った。

彼がいたので、ハーイ、と声をかけ、手を振る。おじさんが顔を上げ、私に気づく。

あれからずっと写真を撮って歩いていたの、と私が話しかける。

いい写真は撮れたか。

う～ん。うまく撮れたかなと思っても、写真を見てみると、だめ。難しいわ。

おじさんは、じっと私を見ている。

どうしたの？　と私が尋ねた。

ひとりで歩き回ってるのか。

そうよ。

ひとりで、さびしくないのか。

突然、予想もしない質問だ。

別に。それに、夫が明日、ニューヨークに戻るし。

そうか。でも、夫がいないときは、さびしいだろ。

まあ、そうね。どうして、そんなこと聞くの？　あなたは独身なの？

まあな。

おじさんはずっと独身生活を送ってきたという。イスラム教徒だった。

じゃあ、相手もイスラム教徒がいいんでしょう？

そりゃ、そうだな。

おじさんの花嫁候補になりそうな人を、思い浮かべてみる。

そうそう、一週間くらい前に、とても素敵な女性と出会ったの。イスラム教徒よ。パキスタン人の。その人は、どうかしら。

仕事は何してるんだい？

イエローキャブのドライバーよ。

イエローキャブのドライバーか。

あら、いけないの？

ドライバーだったら、もうきっとボーイフレンドがいるだろう。

いろいろな乗客と出会うチャンスがあるからか。それなら、屋台のおじさんも同じだろうに。

そんなこと、わからないわ。聞いてもみないで、最初からあきらめちゃ、だめよ。

ポートオーソリティの真ん前に、朝五時に行けばいると思うわよ。

おじさんはなぜか、あまり積極的になれない様子だった。

じゃあ、今度、その人に会ったら、おじさんのことを話しておくから。

おじさんは苦笑いしながら、うなずく。

おい、腹減ってないか。

そういえば、ランチも食べずに、ずっと写真を撮り続けていた。聞かれて、お腹が空いていたことに気がついた。

ホットドッグ、食うか。

ここにはプレッツェルだけでなく、ホットドッグもあったのか。

じゃあ、ひとつ買うわ。

マスタードとケチャップは？

両方、お願いします。

ホットドッグを受け取り、お金を払おうとすると、強い口調でおじさんが言った。

金なんか要らないよ。あんたが食べたい、と言ったわけじゃない。

I offered.

俺が言い出したんだ。

おじさんの思いがけないやさしさに、久しぶりに口にした屋台のホットドッグは、こんなに美味しかったか、と思うほどの味だった。

イスラム教徒のドライバーの女性と出会ったのは、たまたま、しかも、ふだんなら、まだ夢の中の早朝だった。いつか早起きして、とっつきにくいけれど心やさしいおじさんの、花嫁候補になってもらえるかどうか、聞きに行ってみよう。

俺が言い出したんだ。

I offered.

イエローキャブの女性ドライバーと、プレッツェルの屋台のおじさん。何ともニューヨークらしい職業の、カップル誕生か。

行き帰りはタクシー、食事は屋台フードで、お互いに支え合える。なかなかお似合いではないか。

ホットドッグをほおばりながら、私はもうすっかり、イスラム教徒の新郎新婦の仲人（なこうど）気分になっている。

あなた、それでも日本人？

My bonsai is dead!

私のボンサイが、死んでしまったじゃないの！

突然、サラに激しい口調で責め立てられ、私は言葉を失った。

ミッツィ（私のニックネーム）、ちゃんと水をあげてくれたの？

盆栽が「枯れた」ということなのだが、英語だから「死んだ」とサラは言っている。

つまり、殺したのは、私か。

その夏、サラとビルがニューヨークを離れて、避暑地で過ごす間、病気の猫の世話を頼まれ、ふたりのアパートメントに泊まっていた。猫に薬をやらなければならないので、信頼できる人にいてほしいという。

盆栽があったこと、気づかなかったの？

リビングルームの棚(たな)に、和風の植物があることには気づいた。滞在して一週間ほどたった頃だろうか。

何、これ？　盆栽かな、と夫と話した記憶はある。

が、世話を頼まれていたわけでもなかったので、そのうち忘れてしまった。

さらに言い訳をさせてもらえば、棚には東洋風の食器も飾られていて、盆栽は部屋に見事に溶（と）け込み、存在がまったく印象に残っていなかったのだ。

気づいたのに、放っておいたってわけ？

まあ、そう言えなくもない。

なぜ、水をやらなかったのよ。枯れることくらい、わかるでしょ。

日本に住んでいたときだって、私は盆栽など育てたことがない。

盆栽に水をあげていいわけ？

ミッツィ……。相手はため息をついている。

盆栽は何もしなくても、生きているイメージなのだ。少なくとも、私のなかでは。

あ、それはサボテンか。

いくつかある鉢植えの水やりは頼まれていたが、盆栽のことなどサラにはひと言も聞いていなかった。

盆栽の水やりなんか、頼まれなかったけど。

頼まなくたって、わかるでしょ！

しかし、水をあげすぎて、根腐（ぐさ）れして枯れたらどうするのだ。

盆栽の手入れの仕方なんか、知らないもの。

ミッツィ！　あなた、それでも日本人？

日本人だからといって、毎日、スシを食べているわけでもないし、皆がニンジャの格好をして手裏剣を投げているわけでもない。「サザエさん」の波平のように、老いも若きも庭で盆栽いじりをしているわけでもないのである。

日本人ですよ、ミッツィは。

たぶん。

ボンサイの手入れの仕方も知らない、ボンサイ（凡才）な日本人でございます。

My bonsai is dead!
私のボンサイが枯れた！

恐竜のお守り

向こうの大きなテーブルは、障害を抱えた子どもたちのグループでにぎやかだった。何かを楽しそうに作っている。

私は、アメリカ南東部、ジョージア州のコロンバスという町にしばらく滞在していた。その日、友人の知り合いが陶芸工房へ連れていってくれた。ジョージア州は粘土質の赤土で有名だ。私にとって陶芸は初めての体験で、ろくろをうまく回すことができず、悪戦苦闘していた。

私がろくろを回す手を休め、ふと顔を上げると、目の前に見知らぬ男の子が立っていた。小学四年生くらいだろうか。

その子は、片腕がなかった。片手で重たそうに焼き物を持っていた。

I made this.

これ、ボクが作ったんだ。

筋骨隆々の恐竜が、Uの字に体を曲げ、鋭い目でこちらをにらみつけている。恐竜の目の前には卵が六つあり、それを食べようとしているのだろうか。表情がリアルで力強く、今にも動き出しそうだ。指一本一本、卵ひとつひとつにまで、少年の思いが込められているようだ。

Do you like it?

気に入った?

素晴らしいわ。気に入ったどころじゃないわ。

男の子は口元をゆるめた。

This is for you.

これ、君にあげる。

私は耳を疑った。

そんな。何、言ってるの?　だめよ。一生懸命、作ったんでしょう。

I like you.

君が好きなんだ。

何度も断ったけれど、男の子はどうしても私にくれるという。

He's attacking the eggs.

恐竜が卵を狙(ねら)っているのね。

私がそう言うと、男の子は首を横に振った。

No.
違うよ。
私は首を傾げる。
He’s protecting the eggs.
恐竜は卵を守ってるんだよ。

あれから三十年近い歳月が流れ、恐竜はいつしか、私のお守りになった。

今もリビングルームのピアノの上にある。

住む場所が変わるたびに、卵がばらばらにならないようにテープで止め、丁寧に何重にも包み、恐竜とともに新しい住処へと越してきた。

あなたの宝物を、ずっと大切にします。

あのとき、あまりに突然で、言葉にできなかった少年との、固い約束だと思っている。

He’s protecting the eggs.
恐竜は卵を守ってるんだよ。

第2章
ようこそハプニング

テーブルで水浴び

村上春樹がアメリカに来たとき、会えるならぜひ、会っておきなさい、と勧（すす）められた作家が、E・L・ドクトロウ（E. L. Doctorow）だったと、何かで読んだことがある。

ニューヨークの図書館で、彼の本を借りるためにカウンターに置くと、そばにいた見知らぬ利用者の女性が、うれしそうに叫んだ。

Another Doctorow fan!

ここにも、ドクトロウのファンがいたわ！

一番上には別の著者の本が置かれていたのに、その人はわざわざ横から彼の名前を見つけたのだ。

NYU（ニューヨーク大学）の大学院でクリエイティブ・ライティング（Creative Writing）を学んだとき、ドクトロウは私の論文の指導教授だった。

そう自慢げに話すと、まあ、あなたはなんてラッキーなの、と女性はうらやましがった。

クリエイティブ・ライティングは、小説や詩などのフィクションという意味だ。アメリカの高校や大学では、これが授業科目にあるところも多い。

大学院に進学したとき、教授陣にこの作家の名前を見つけ、驚いた。

日本の大学の米文学史の授業で、彼の名前が出てきたからだ。『ラグタイム』『紐育万国博覧会』『ビリー・バスゲイト』など、アメリカを舞台にした歴史小説を書き、作品は映画やブロードウェイ・ミュージカルにもなった。

大作家だが、私たち学生にとって、父親のような存在だった。ユーモアがあり、穏やかで、目がやさしかった。

在学中のある日、ドクトロウ先生が食事に誘ってくれた。私は最初こそ、やや緊張していたものの、だんだんリラックスし、身振り手振りを交えて話しているうちに、テーブルの上の水がたっぷり入ったグラスを倒してしまった。

先生は何も言わずに立ち上がり、びしょ濡(ぬ)れになった服をナプキンでふき始めた。

大先生になんてことを!

私は動揺し、本当に申し訳ありません、とひたすら謝った。

先生は席にすわり直すと、私を見つめて、ぼそっとつぶやいた。

I've just been baptized.

只今(ただいま)、洗礼を受けました。

洗礼はキリスト教徒になるための儀式で、全身を水に浸(ひた)したり、頭に水を注(そそ)いだりする。

大丈夫。気にしなくていいんだよ。

その気持ちを、先生はユーモアに変え、伝えてくれた。

さすが、大作家だ。言うことが違う。ユーモアは人間関係の潤滑油(じゅんかつゆ)だ。

大先生に水を引っかけておきながら、私が言うのもナンですが。

しかし、せっかくかかった私のエンジンも、洗礼事件ですっかり調子が狂ってしまい、大先生がすかさず差してくれた油の効き目は、今ひとつだったと記憶している。

I've just been baptized.
只今、洗礼を受けました。

歩くひまわり

sunflower って、どれですか。

白人の若い男の人が、花屋の店先で店員に聞いている。

ふたりとひまわりの、ちょうど間にいた私は、これですよ、と指差す。

へえ、これが sunflower なのか。

ひまわりを知らない人も珍しい。

sunflower を買ってきてね、と妻か母親にでも頼まれたのだろうか。

日本語では「ヒマワリ」というのよ、と私が言う。
ヒ、マ、ワ、リ、とその人が繰り返す。
ひまわりは、太陽の方向を向いて回るから。素敵な名前でしょう。

まるで私が名づけたように、ちょっと誇(ほこ)らしげに言う。

ひまわり。ヒマワリ。向日葵——。太陽を追って成長していき、花が咲くと動きは止まる。ほかの植物でも太陽のほうを向いて育つ気がするけれど、ひまわりはいかにも、サンフラワー、太陽の花というイメージがある。

そうだね。その人はうなずき、私に礼を言うと、ひまわりを十本、買った。


かなり前のことになるが、ニューヨークでお世話になった知人が、日本に帰国した。その何年か後に退職し、新しい仕事を始めることになったという。

仕事で親しくしていた彼と共通の知人を東京の拙宅に招き、サプライズでささやかな転職祝いを計画した。本人には内緒だったから、久しぶりに一緒に夕食でも、と声をかけると、娘と一緒に行きます、と連絡があった。

彼の娘と最後に会ったのは、もう二十年近く前だった。ニューヨークの五番街の教会で私が結婚したときに、家族で参列してくれた。ニューヨークで生まれ育った娘は、そのとき、九歳だった。

玄関に迎えに出ると、満開のひまわりが目に飛び込んできた。知人の隣に、美しく成長した娘が、真っすぐに伸びた五本のひまわりを、裸のまま手に握って立っていた。ラッピングもリボンもない、花の束だった。

ひまわりの花を握りしめたまま、東京の地下鉄に乗り、道を歩いてきたという。乗客も、道ゆく人も、きっと目に留め、明るい気持ちになったことだろう。

太陽の花束を手に、父親と並んで歩いてきた娘を思う。太陽を追って成長していくひまわりのように、あの小さな女の子は、自分の人生を、上を向いて歩んできたのだろう。

What a nice surprise！

なんて素敵なサプライズ！

私の計画したサプライズなど、吹き飛んでしまった。

それからまもなくして、別の知人の家に呼ばれた。

私はその家の玄関に立っていた。

五本のひまわりを、手に握りしめて。

What a nice surprise！
なんて素敵なサプライズ！

海老蔵（えびぞう）かトランプか

タイムズ・スクエアを歩いていると、ガラス越しに、スーパー・チューズデー(Super Tuesday)の放送に向けて、あわただしく準備が進められているのが見えた。三大ネットワークのひとつ、ABCのスタジオだ。

スーパー・チューズデーは、アメリカ大統領選の年の二月か三月初旬の火曜日。予備選挙や党員集会が、最も多くの州で行われる。この日に確たる勝利を収めれば、党の指名獲得への大きな前進となるため、大統領選序盤（じょばん）の最大の山場といわれる。

開拓時代のキリスト教徒たちは、安息日の日曜日には仕事を休んで家族と過ごした。アメリカは土地が広いけれど、月曜日に馬車で投票所へ出かければ、火曜日には投票できた。その名残（なごり）である。

成り行きをぜひ、テレビで見届けたい。突然、政界に喜劇役者のように現れたトランプ氏。そして、女性初の大統領なるか、クリントン氏。歴史に残る一日になりそうだ。が、ちょうどその夜、カーネギーホールで市川海老蔵の歌舞伎（かぶき）公演があった。どちらも一夜限りである。スーパー・チューズデーか、歌舞伎か。

午後五時頃、たまたま近くにいたので、カーネギーホールへ行ってみる。チケットが完売であれば、あきらめもつく。そのとき、ボックスオフィスでチケットを求めようとしていたのは、東洋人の女性ひとりだけだった。話す英語から、日本人だろうと思った。歌舞伎のチケットの料金を聞いている。

最後の一枚、五百ドルの席があるよ、と窓口の男性が答えると、女性が迷わず、ドル札を差し出した。五百ドルのチケットを、ぽんと買ってしまうとは。

と、男性が言った。五十じゃない、五百だよ。女性は意味がわからないようだった。日本人の方ですか。五百ドル席一枚しか、残っていないらしいですよ、と私が日本語で女性に話しかける。女性に嫌な思いをさせないように、高いですね、と言い添えた。

五百ドルもするんですか。旅行でニューヨークに来たんで、カーネギーホールで歌舞伎を観るのもいいかなって思ったんですけど。五百ドル出せば、日本でも観られますよね。声をかけてくださって、ありがとうございます。

そう言って、女性は去っていった。

最後の一枚。これを縁と言わずに、何と言う。しかも今の女性が買っていたら、残ってはいなかったこの一枚。座席を確認すると、前から五列目の中央だという。五百ドルのなかでも最高の席ではないか。

しかし、五百ドルか。私の愛するビリー・ジョエルのマディソン・スクエア・ガーデンでのコンサートは、ステージから十三列目で、手数料込みで百四十五ドルだった。やっぱり、友人夫婦、ベッツィとロブの家のテレビで、スーパー・チューズデーを一緒に見よう。後ろ髪を引かれながら、地下鉄の駅へ向かう。

ふたりにその話をすると、妻のベッツィが言った。

Mitsy, don't worry. Super Tuesday is another kind of Kabuki.

ミッツィ、大丈夫。スーパー・チューズデーも、歌舞伎の一種みたいなものよ。

いいね、それ。エッセイにするわ、と笑うと、ちょっと待って、とベッツィがスマートフォンを取り出し、「カブキ」を検索し、声に出して読み上げる。

Kabuki theater is known for the stylization of its drama and for the elaborate make-up worn by some of its performers.

歌舞伎は、型にはまった演出のスタイルと一部の役者の入念(にゅうねん)な化粧で知られている。

型にはまった演出スタイル、入念な化粧……。

オーケー。やっぱり、私、あってたわ。ベッツィは得意顔で、うなずいている。

Super Tuesday is another kind of Kabuki.
スーパー・チューズデーも、歌舞伎の一種みたいなものよ。

ヨッ、大統領！

わが家のスーパー・チューズデーの観劇は、五百ドルより安くしとくよ、と夫のロブが言う。

こちらの歌舞伎、人気役者は、民主党のヒラリー・クリントン氏と共和党のドナルド・トランプ氏。演目は「トランプ対ヒラリーの一騎打ち」だ。

ふたりは勢いに乗り、それぞれ七州を制覇し、他の候補者に圧勝した。

本物の歌舞伎では、歌舞伎座の三階の「大向こう」の席から、「日本一！」「待ってました！」「成田屋！」などと声がかかる。これが歌舞伎の醍醐味でもある。

リビングルームのソファにすわって、ベッツィと私は、比較的おとなしく、テレビで〝観劇〟している。

「ヨッ、ヒラリー！」「大統領！」「トランプ屋！」などと声がかかれば、この無料歌舞伎も盛り上がるというものだ。

私の友人には珍しく、ロブは共和党支持者だ。クリントン氏が、「今、私たちに必要なのは、愛とやさしさなのです」「壁を作るのではなく、ひとつにならなければ」「アメリカはすでに偉大な国です」などと呼びかけると、画面に大映しの顔に向かって、「このウソつきが！」「言うことを、ころころ変えるな！」と罵声を飛ばす。

顔を見るのも我慢ならないらしく、クリントン氏が登場すると、テレビの音を消すところか、電源まで切ってしまいそうな勢いだ。

かといって、「メキシコとの国境に壁を作り、費用はメキシコに持たせる」などと真顔で訴えるトランプ氏を応援する気にも、ほとほとなれないらしい。何しろ、彼の息子は半年前に、メキシコ系移民の女性と結婚したばかりで、まさにその国境近くに住んでいる。女性の連れ子である孫も、かわいくて仕方がない。

どっちが大統領になっても、僕はアメリカを出ていくんだ、と嘆いている。

まったく、ウソ臭いよ。型にはまった演出とセリフ。入念な化粧。やっぱり、カブキだ、カブキ。

I've had enough.

もう十分だ、十分。

そう言いながら、ロブはベッツィを伴い、おやすみと〝劇場〟を去っていく。

私は〝観劇〟を中断される心配から解放され、ひとり、カブキを楽しんだ。

で、気になるのは、本物の歌舞伎だ。

私の友人はその夜、キャンセルが出るかもしれないと、開演三十分前にカーネギーホールへ行った。が、チケットは手に入らず、開演時間が過ぎたので帰ろうとしたとき、日本人の学生が余ったチケットを一枚くれたという。

招待券だから、ってその学生はチケット代を受け取らなかったの。雲の上から見ているような、ずっと上の後ろの席だったんだけど、オーケストラ席に友だちがいて、隣が空いていたから、幕間（まくあい）にその席に移動しちゃった。前から五列目の真ん中辺りで、何席か空いてたわよ。五百ドルくらいする席みたいよ。私ってラッキーよね。

私が五百ドル払って会場に入り、彼女とばったり隣り合わせになり、事の次第を聞いていたら、あまりの悔しさに観劇どころではなかったかもしれない。

I've had enough.
もう十分だ、十分。

眠りのソムリエが消えた

時差ぼけで眠れないなら、アルコールは飲んじゃだめだよ。

酒屋の店員なのに禁酒を勧めた、あの良心的な青年に会いたくなった。マンハッタンのヴィレッジにある老舗（しにせ）有名店だ。

不眠についての注意事項を、箇条（かじょう）書きにしてくれた。私はそのメモを今も大切に持っている。

糖分は寝る一時間前、カフェインは五時間前から控える。寝る前はテレビやパソコンは見ずに、軽く運動して体温を上げる。リラックスして体温が下がったときに眠くなる。

糖分と一緒にトリプトファンを摂（と）る。サンクスギビング（感謝祭）の食事のあと、眠くなる人が多い理由など、不眠研究で博士号でも取ったのではないかと思うほど、彼の饒舌（じょうぜつ）な話はおもしろかった。

前回は私がセール品コーナーに立っていたものだから、そのなかから、しかも最安値の赤ワインを薦（すす）めてくれた。今回はちょっと奮発して、いつもより高いワインを選んでもらおう。〝不眠〟ではなく、〝お酒の博士〟の本領を発揮して。

広い店内を三周し、探してみたが、青年の姿はない。

支払いのときに、レジの若い女性に尋ねてみる。青年について知っていることは、ドミニカ共和国の出身で、不眠に詳しいということだけだ。

ああ、たぶん、あの人だわ。私は一緒に働いたことはないけれど。

I think he was fired.

彼、クビになったんじゃなかったかなぁ。

クビ？

……ん。もしかしたら、ただ辞めたのかも。

私が驚いた声を出したから、まずいと思ったのか。それとも、本当に知らないのか。

その数日後、また、その店に立ち寄ってみた。

私たちが出会ったあのセール品コーナーに、若い男性の店員が立っている。嬉々として駆け寄り、顔をのぞき込んだ。が、あの青年ではない。

ここにいた店員さんに会いたくて。ドミニカ共和国出身で、不眠にとても詳しくて、親切な人だったの。

ああ、彼ね。クビになったよ。

やはり、そうだったのか。

とってもいい人だったのに、と私。

僕も彼のことは好きだったよ。

どうして、クビになっちゃったのかしら。

……うん。上司と言い合いをしたからさ。

そんなことを客に教えていいのか、と私は思う。自分で尋ねておきながら。

今はどこで働いているのかしら。

わからない。でも、ちょっと待ってて。誰か知ってるかもしれないから、聞いてあげるよ。

数分でその店員が戻ってきた。

だめだ。誰も知らないみたいだ。

商売に関係ないことを、いつまでもべらべらしゃべってるんじゃない。しかも、酒屋が客に酒を飲まないように勧めるとは、などと上司にしかられ、口論になったのか。

私は心配になって、店員に聞いた。

そんなことではクビにならないさ。

彼が笑って、答えた。

パソコンは今もまだ、同じ場所にあった。

あのとき、あなたはどこの出身なの？　と尋ねると、彼はわざわざパソコンの画面で、地図を開いて、見せてくれたのだ。ドミニカ共和国。このイスパニョーラ島の半分は、ハイチなんだ。キューバまで泳いでいけるよ。紺碧（こんぺき）の海と白いビーチの写真を見せて、誇らしげに言った。素晴らしいところなんだ、と。

商売も忘れ、眠れない私に親身になってくれた彼。祖国について誇りを持って語っていた彼。きっと今も同じように、どこかで誰かに熱心に語りかけているのだろう。

この店に来ても、もう彼には会えない。

でも、と私は思い直す。小さなマンハッタン島だもの。

I might run into him.

またいつかどこかで、彼とばったり、出会えるかもしれない。

饒舌な彼と、おしゃべりな私のことだから。

講演会——眠りのソムリエが語る快眠のレシピ

そんなポスターを見かけたら、私は真っ先に駆けつける。

I might run into him.

彼とばったり、出会えるかもしれない。

見知らぬ同士の小指の約束

地下鉄の車両の端から、女の人の大きな叫び声が聞こえた。止んだかと思うと、また叫び、静かになったかと思うと、また奇声が車内に響いた。

夜十一時近くだったが、車内はかなり混雑していた。ブルーのワンピースを着た若い白人女性が笑顔で立ち、目の前にすわる六十代くらいの黒人の男性と話している。男性の隣には、ぐったりした様子で同じような年齢の黒人女性が、目を閉じてすわっている。どうやら叫んでいたのは、彼女のようだ。

その女性は目を開けると、手にしていた空のガラス瓶を逆さにし、口から舌を入れ、わずかに残っている液体をなめようとしている。ウイスキーかウォッカだろうか。

若い女性が何やら声をかけると、その人は叫びながら、彼女の足を蹴った。若い女性はにこやかな表情を崩さず、今度は男性に話しかけている。

ふたりは穏やかに言葉を交わしているようだった。

しばらくすると、彼女が右手の小指を、男性に差し出した。すると、男性も右手の小指を近づけ、彼女の小指に絡ませて、指切りしている。男性はそのまま、女性の手を引き寄せると、甲に口づけした。

私のすぐそばに、USオープン・スタッフ（US Open Staff）と書かれた揃いのTシャツを着た黒人の男女が数人いた。ちょうど、テニスのUSオープンの時期だった。ひとりは、三人の様子をずっとアイパッドで撮影していた。

Look, they're making a pinky promise.

ほら見て、指切りしてるわよ。

女性が手に口づけされるのを見ながら、そのなかのひとりが、どうやら、あの女、新しいボーイフレンドができたらしいぜ、と言い、それを聞いた仲間たちが大笑いしている。

そんな周りの様子など、彼女は気にもならないように、黒人の男女と言葉を交わし続け、私と同じ駅で降りた。

あの指切りは何だったのだろう。

この女性はあんなに嫌な思いをさせられながらも、笑顔を崩さなかった。

Are you all right?

大丈夫？

そう私が声をかけると、ええ、何でもないわ、とだけ答えた。
そして、一緒に改札に向かいながら、しばらくして女性が話し始めた。

Look, they're making a pinky promise.
ほら見て、指切りしてるわよ。

語られるべき人生

あの女性と同じ駅で地下鉄に乗ったんだけど、突然、私に向かって叫び始めたの。私が彼女より先に改札を通ったんだか何だかで、気に食わなかったらしいわ。

ホームレスの人だった。彼女の隣にすわっていた男性もホームレスのようで、同じ駅で乗ったの。初めは正直、関わらないようにしようと思ったわ。でも、あの男性の目がとてもやさしかった。彼が私に声をかけてきて、話し始めたの。

女性が叫んでいたから、周りの人たちは奇異の目で見ていたし、怖がっていたかもしれない。だから、女性の気持ちを和(やわ)らげようと思って、素敵なドレスね、って声をかけたの。

びっくりしたようだったわ。たぶん、長いこと、ほめてもらったことなんか、なかったんでしょう。昔、彼女のお母さんがマリリン・モンローのためにドレスを縫(ぬ)っていたなんて言ってたわ。名前を聞いたけれど、教えてくれなかったから、彼女のことをマリリンと呼んだの。

隣の男性に、あなた、マリリンの面倒をちゃんと見てあげてね、と頼んだら、知り合いじゃねえよ、と答えた。ふたりとも似たような感じで、一緒にいたから、てっきり知り合いかと思ったのよ。

彼は退役軍人だと言ったわ。戦場に行って、精神を病んで、社会復帰できずに、ホームレスになった人がたくさんいる。私たちの自由のために戦ってくれた人たちよ。

ふたりとも精神がぼろぼろで、とてもさみしい目をしていた。きっとお腹も空いていたんだと思う。でも私に、恵んで、とは言わなかった。お金も、食べ物も。

何かほしければ、教会に行ってね、この女性の面倒を見てあげて、ともう一度、彼に頼んだの。もし助けが必要だったら、連絡してね、あなただけじゃなくて、ふたりとも助けが必要だったら、と言って、自分の名刺を渡したの。わかったよ、と彼が答えたわ。

その約束が、あの指切りだったのだ。そしてその手を取って、男性が口づけしたのだ。
ニューヨークは孤独な街だから、みんな、耳を傾けてくれる人が必要なの。その人に関心がなくたっていいの。話を聞いてあげるだけでいい。

あなたのその勇気はどこから来るの、と私が聞いた。

わからないわ、と答えると、その人は声を詰まらせた。

一緒に地下鉄に乗ったとき、この人たちは耳を傾けてくれる人が必要だって感じたの。

そう言いながら、女の人の両目から大粒の涙がぽろぽろとこぼれた。涙を拭いもせずに、彼女は話し続けた。

地下鉄の乗客は怖がったり、面白がって大笑いしたり……。あなたが今日、突然、職を失って、何の価値もない、生きている価値もないみたいに周りの人たちに扱われたら、どんなふうに感じる？　そんなあなたに、誰かが声をかけてくれたら……。

They have stories to tell. They have a history. They want somebody to listen to them. Everybody has a life story that deserves to be told.

彼らには語るべき物語がある。歴史がある。誰かに耳を傾けてほしいの。どんな人にも、語られるべき人生の物語があるでしょう。

Everybody has a life story that deserves to be told.
どんな人にも、語られるべき人生の物語があるでしょう。

空からクーラーが降ってくる

ハイテクのアメリカを代表する大都市ニューヨーク。それなのに、クーラーがなぜ、ここまで原始的なのか。

涼しくなりさえすればいい、という割り切りには、潔ささえ感じる。

温暖化の影響か、ニューヨークでも摂氏三十八度、体感温度摂氏四十二度という日があり、今やクーラーは必需品ともいえる。

人のいる場所や運動量をセンサーが感知する。マイナスイオンを放出する。除湿機能がある。そんな日本の超高性能で多機能のエアコンを使いこなせない私には、あまりの機能のなさ、性能の悪さに、そのレトロなシンプルさが逆に愛おしく感じられる。

タイマー機能やリモコンも、期待してはいけない。人の姿に反応するどころか、こちらからクーラーのほうに出向いていかないと、何もしてくれない。「Low（低）」、「Mid（中）」、「High（高）」の三種類の温度調整があれば、万々歳だ。

ニューヨークの通りからビルを見上げると、窓に取り付けられたボックス型クーラーが、ずらりと並んでいる。奥行きがあるため、窓からかなり飛び出ている。ひと昔、いや三、四昔前のデスクトップ・パソコンに似た淡いベージュで、いかにも時代がかって見える。

窓に挟んで固定するので、クーラーが設置された窓は開けることができない。部屋に窓がひとつしかなければ、空気の入れ替えもできない。室外機と一体だから、オンにしたとたんに、ガダガダガダと騒音が鳴り響き、ひどいときには人の声もテレビの音もかき消される。

そして、水がポタポタと窓の外に垂れる。雨が降り始めたか、と見上げれば、クーラーから垂れてくる水だったということは、よくある。

しかも、このクーラー、ときに信じられない悲劇を生む。

駐在でニューヨークに暮らしていた私の友人が、アッパーイーストサイドにある自分のアパートに向かって歩いていた。と、突然、空からクーラーが降ってきて、前を歩いていた女性の頭を直撃した。

ただでさえ、かなり重いクーラーが、高層ビルの十数階の窓から落下してきたのだ。即死だったと思う、と友人は言う。

その件らしき死亡事故の報道はないようなので、幸い、一命をとりとめたのかもしれないが、クーラー落下による死亡事故は実際にある。

レトロなクーラーの名誉のために、もうひとつ伝えておこう。

クーラーを取り付けるために手すりが外されていた窓から、子どもが誤(あやま)って落ちた。が、階下の部屋のクーラーに着地したため、重傷を負(お)ったものの、助かった。

友人が事故を目撃して以来、夫が歩道の端(はし)を歩こうものなら、クーラーが空から降ってくるよ、と私が脅(おど)す。

Watch out!

危ないよ！

しかし、何事にも無頓着(むとんちゃく)な夫は、相手にしてくれない。

仕方なく、私はひとり、口ずさむ。アメリカで大ヒットした、あの歌を。

上を向いて歩こう。涙がこぼれないように。

クーラーが当たらないように。

Watch out!
危ないよ！

第 3 章

どんでん返し

209
207

マリーパットの日本での評判

マリーパットは独特の濃いキャラの友だちで、心やさしい夫のモンティとともに、私の本によく登場する。

彼女について書いた話を英訳して読むと、私がそんなことするわけないでしょ、そんなこと言った？　などと一応、反論しながら、あっ、はっ、はっ、と豪快に笑い飛ばす。ねぇ、ミッツィ、日本語で私の名前をネット検索したら、何かヒットするかしら。きっとするわよ。ミッツィが私のこと、いろいろ書いてるし。日本でアートの個展も開いたし。そう思うでしょ？

彼女は自分で撮った写真を加工し、アバンギャルドな作品を作り続けている。

私のアイフォーンをのぞき込む、そのメガネの奥のまなざしが真剣だ。日本語で検索しろと、目で訴えている。どうやら、検索するまで、じっと動かずに待っているらしい。モンティも固唾を呑んで、見守っている。

アマゾンに書かれた、私の本のブックレビューが出てくるかもね。

アマゾンのブックレビューに、私のことが書かれてるの？

マリーパットは目を輝かせる。

ミッツィ、見せてよ、早く、早く。

仕方ない。確かあれは、『ニューヨークの魔法のことば』のレビューだったと思い出し、そのページを開いてみる。

あった。これよ。

マリーパットは私の手からアイフォーンをひったくり、食い入るように画面を見つめたかと思うと、突き返す。

何これ、日本語よ。読めないじゃない。英語にしてよ。もう待てないわ。早く、早く。

私はマリーパットに関係ある箇所だけ、一字一句、英訳して読み上げる。

「……もう一人印象的な登場人物をあげるとすれば、友人のマリーパット」

まあ、照れるわね。続きを、早く、早く。

「……わがまま、せっかち、ジコチュー、鬼嫁」

マリーパットは目を白黒させる。

それ、私？

しかも、名指しで？　もう絶対、許せないわ。最後はなんですって？

鬼嫁。

鬼嫁!?　おお、おお、鬼嫁と一緒になった、かわいそうなモンティ。

そう言いながら、マリーパットはモンティの頰をなでる。

これまで忍耐強く、〝鬼嫁〟に仕えてきたモンティ。

マリーパットは鬼嫁なんかじゃないよ、とやさしくフォローする。

I'm gonna get him!

そのレビューを書いた人、ひどい目に遭わせてやるわ!

マリーパットは鼻息が荒い。

でも、このレビューは、そのあとでちゃんとほめているのよ。

マリーパットは気を取り直す。

そうなの?　読んで、読んで。

私はレビューの続きを英訳する。

「……でもそんな彼女を描く著者の筆は決して意地悪くはならず、寛容ないたずら心に満ちている」

ほめられてんのは、ミッツィじゃない!

Maripat, you're adorable.

マリーパット、あなたは愛らしい。

ということよ、と私もフォローする。

ミッツィ、一体、あなた、私のこと、何て書いたわけ?

そう言いながら、目をつり上げている。

「注文の多い客」、「間違った勘定書」、「ソーホーで待ちくたびれて」と、その本だけでマリーパットは三度も登場する。彼女はすでに知っているはずだが、内容をかいつまんで話す。

ああ、あれね。日本人の客室乗務員の元同僚に読ませたら、あんたそのまんまじゃない、って大笑いされたわ。

でしょう。それに、『ニューヨークの魔法のじかん』に出てくる、あの厚かましい「目の黒いうちは……」に比べたら、まだましでしょう? 「おしゃれな大学のおしゃれでない話」なんて、品のかけらもなくて、穴があったら入りたいでしょ。

え、あれも暴露されちゃったんだっけ? ミッツィ、私のこと、もうこれ以上、ネット検索しなくていいから。

つり上がった目を細めて、あっ、はっ、はっ、とまた、豪快に笑い飛ばす。

やっぱりマリーパットは、adorable だ。

Maripat, you're adorable.
マリーパット、あなたは愛らしい。

Love

マンハッタンを象が行進する

サーカスがニューヨークにやってくる！

ああ、子どもの頃、わくわくしたな。マディソン・スクエア・ガーデンまで象たちが練り歩くのを見に、親が連れていってくれたんだよ。サーカスは金がいるけど、象が街を歩くのは、ただで見られるからな。

It was a blast.

あれは楽しかったよ。

たった今、知り合ったおじいさんが、懐かしそうにつぶやく。

ブルックリンのバークレイズ・センターでサーカスを観るために、地下鉄に乗っていた。ちょっと目のすわった長髪の男の人が立ち上がり、私に席を譲ってくれたので、代わりにどうぞ、とそのおじいさんと奥さんに声をかけた。隣の人も立ち上がり、彼ら夫婦ですわった。

君は小さいから、一緒にここにすわれるよ、ほら、おいで、と言ってくれたので、脇にちょこんとすわり、会話が始まったのだ。

二〇一〇年まで、サーカスに出演する象たちは、貨物列車を降りた駅から橋やトンネルを歩いてマンハッタンに出ると、さらに会場のマディソン・スクエア・ガーデンまで車道を行進していた。

プロレスやバスケットボール、アイスホッケーといった各種スポーツや、コンサートなどにも利用されるこの大屋内競技場は、もともとサーカスのテント代わりに使われていた。

「リングリング・ブラザーズ・アンド・バーナム・アンド・ベイリー・サーカス」は、アメリカを代表するサーカス団だ。設立者のひとり、バーナム氏は、黒人奴隷を見世物にし、興行を始めた。その後、複数のサーカス団と合併して、この長い名前になった。

一八七二年から、興行用の貨物列車に団員や動物、機材を乗せて、全米を大移動している。列車にはベッドや風呂、キッチンの設備もある。

先ほど席を譲ってくれた長髪の男の人は、バンドでボーカルとベースをやり、ヘビーメタルが大好きだという。明け方のアルコールがまだ抜けていないのか、ろれつが回らない感じだ。日本のメタルバンドについて大声で話していたが、私がサーカスに行くと知ると、さらに声が大きくなった。

なんだなんだ、サーカスに行くのか。サーカス、しばらく観てねぇなあ。まさか、リングリング・ブラザーズじゃねぇだろ、え、リングリング？　マジかよ。子どもんとき、連れてってもらったぜ。いつまで、やってんだ？　明日？　明日じゃ、行けねぇよ。今度はいつ来るんだよ。

　彼はサーカスの話になると、夢中になって目を輝かせていた。危うく、乗り過ごしそうになり、あわてて老夫婦と同じ駅で降りていった。

　そばにいた黒人の男性が、首を横に振りながら、呆れたように私につぶやく。

I'm glad he's gone.

いなくなってホッとしたよ。

どうして？

He talks too much!

しゃべりすぎだろ、あいつ。

で、君、サーカスに行くんだって？　僕も子どもの頃、親によく連れていってもらったよ。うちの息子も大好きなんだよ。な？

と、ドアの前に立っていた中学生くらいの少年に目をやった。

去年なんか、二度も行ったよな。

　彼はサーカスの話を、延々と大声で続ける。

　この人も、さっきのヘビーメタルのお兄さんと、同じだ。

サーカスの話になると、皆、子どもに返る。

テレビも映画もなかった時代から、大衆の娯楽として人々に親しまれたサーカス。

私も子どもの頃、日本でサーカスに連れていってもらった記憶がある。

ノスタルジーをかき立てられ、わくわくしながら、地下鉄を降り、地上に駆け上がっていく。

It was a blast.
あれは楽しかったよ。

サーカスが街にやってきた

会場は子ども連れであふれ返っている。どこからでもステージを見下ろせるように、その周りに階段状に観客席が設けられている。

私は通路脇の席で、隣にはかなり体格のいい肝っ玉母さん風の黒人の女性がすわっていた。隣のふたりは、娘のようだ。

サーカスにはよく来るんですか、と声をかける。あんた誰、とでも言いたげに、かったるそうにじろりと私を見ると、ああ、と不愛想に答える。

同じ列の奥の席の人たちがあとからやってきて、私たちの前を通ろうとすると、面倒くさそうに重い体を上げ、しぶしぶ私のあとから通路に出てくる。

やがて、ステージに男の人が現れ、観客に向かって叫ぶ。

Who is ready for the greatest show on earth?

地上最高のショーが始まるぞ。準備はいいか！

そして、リングマスター（進行役）が登場し、いよいよ開幕か。

Now, ladies and gentlemen and children of all ages.

レイディーズ・アンド・ジェントルメン、そしてあらゆる年齢の子どもたち。

と言いながら、山高帽を脱ぎ、軽くお辞儀する。

Would you please rise and join us for the singing of our national anthem?

ご起立ください。私たちとともに国歌斉唱をお願いいたします。

リングマスターが伸びと張りのある素晴らしい声で歌い始めると同時に、象に乗った美女が大きな星条旗を掲げて登場し、ステージを回る。女性のレオタードまで、星条旗柄だ。

観客は立ち上がり、右手を左胸に当て、「星条旗」を高らかに歌っている。サーカス会場で。厳粛に。隣の肝っ玉母さんも。

と、色鮮やかなサーカスの映像が流れ、花火が上がった瞬間、天井から吊るされ輝きながら回っていた大小の青い球の中から女性が現れ、ステージの上に次々と登場する人たちとともに、「地上最高のショー（*The Greatest Show on Earth*）」の歌に合わせて踊り出す。両側から勢いよく何台ものバイクが登場し、美女を乗せた象たちが、前の象の尻尾と鼻で〝握手〟しながら、ゆったりと回り始める。

巨大なスペースを縦横無尽に使い、ヒトと動物と乗り物の、光と音、歌と踊りの華やかな祭典が繰り広げられる。大規模なブロードウェイ・ミュージカルとディズニーのパレード、そしてオリンピックの開会式が、一度にやってきたようだ。

肝っ玉母さんは、イエーイ！　と叫び声をあげ、興奮していたが、ショーが始まってからも、遅れてやってきた人たちが前を通り、私たちは立ち上がらなければならなかった。

三度目についに、肝っ玉母さんのかんしゃく玉が破裂した。

席を立つのは、もうごめんだよ。始まる前に来るのが礼儀ってもんだよ、そうだろ。

と私に向かって言うやいなや、席を間違えた家族が、数列前の席からぞろぞろ移動してきた。肝っ玉母さんは大きくため息をついて、やれやれと言わんばかりに立ち上がる。

まったく、四度目だよ。四度目。そうだろ？

彼女は同意を求める。私がうなずく。

肝っ玉母さんはこれをきっかけに、私を相棒とみなすことに決めたようだ。

新しい出し物になるたびに、感嘆符付きで実況中継を始めた。

あたしゃ、もう何度もこの子たちをサーカスに連れてきてるんだよ。

隣の娘は、三歳と十六歳だという。

巨大な地球儀のような球体の中へ、バイクが一台ずつ入っていく。

これ、あたしが一番、好きなやつだよ。あんな速さで走ってるってのに、ぶつかんないんだからね、大したもんさ。

I love it! I love it!

最高だよ、最高！

ちょっと、ちゃんと見てんのかい？　バイクが三、四……ありゃりゃ、八台になったよ！　舞台と平行に走ってんだろ。

That's awesome!

たまげたもんだよ、まったく！

見なよ、ピエロが転んでるよ。なんてこった！

さあ、今度は檻が出てきたよ。ってことは、ライオンの登場さ。虎も十頭もいるよ。見たかい、虎が二本足で立ってるよ！

肝っ玉母さんの実況中継はとめどもなく続き、こちらが感想を述べる隙もない。

象が六頭もやってきたよ。イエーイ！　ステップしてるよ、かわいいね。ありゃ。なんだい、ごろりと寝ちまったよ。

One, two, three! Hey, wake up, elephants! Yay!

ワン、ツー、スリー！　ね～ぇ、起きておくれよ～、象さ～ん。イエーイ！

おっと、待った。あれはカンガルーじゃないか。初めて見たね！

馬が勢いよく走ってるだろ。今から、あの上でアクロバットが始まるのさ。ありゃりゃ、二頭並んで、その上に五人も乗ってるよ。

中国人雑技団らしきグループが、軽妙なアクロバットを披露する。

ありゃ、あんたの国の人たちだろ。

いや。あれは中国でしょ。私は日本だから。

日本? 日本だって中国だろ? いいかい、親はこういう質のいい時間を、子どもに持たせるべきなんだよ。あんたもそう思うだろ。

誰よりも興奮して、〝質のいい時間〟を楽しんでいたのは、この人、肝っ玉母さんだ。

Children of all ages. あらゆる年齢の子どもたちに、私たちは皆、戻っている。

このサーカスもいいけどね、ユニバーソウル(UniverSoul)っていうサーカスもなかなかすごいよ。黒人が演技するんだよ。いつやるかわかったら、教えてやるから、観に行きな。行くんだよ、オッケー?

大音響のラップやゴスペルに、観客も歌い踊り出すノリのよさとパワフルさが評判だ。

一週間後、肝っ玉母さんからメッセージが届いた。
Good morning, Mitsuyo. I'm just reminding you that the UniverSoul Circus is going to be in Floyd Bennett Field Park in Brooklyn on the dates of April 12-24. OK? I hope to see you there. I'm attending on April 16th for the first morning show, OK?

おはよう、ミツヨ。お知らせだよ。四月十二日から二十四日まで、ブルックリンのフロイド・ベネット・フィールド・パークに、ユニバーソウル・サーカスがやってくるよ。オーケー？　また、会えるだろうね？　アタシは四月十六日の朝の最初のショーに行くよ。オーケー？

そのショーに、私は行けなかった。

五か月後、ふたたびメッセージが送られてきた。

The UniverSoul Circus is in April, OK?

ユニバーソウル・サーカスは、四月だよ、オーケー？

わかったわ、と答えると、すぐに返事が来た。

I hope to see you next year, OK?

来年、会えるだろうね？　オーケー？

今度はあなたの実況中継なしでね、オーケー？

そんな失礼な返信メッセージを、もちろん私は送らない。オーケー？

Who is ready for the greatest show on earth?

地上最高のショーが始まるぞ。準備はいいか！

消えていく風物詩

楽しかったサーカス。でも今、百年以上も続いてきた伝統が、失われようとしている。肝っ玉母さんの嬉々(きき)とした実況中継を聞きながら、じつは私はこのサーカスを、複雑な思いで眺めていた。

会場の外では、動物愛護団体のメンバーがプラカードを掲げて立ち、静かな抗議を続けていた。足を鎖(くさり)につながれて並んでいる象、鋭い調教棒で鼻を突っつかれている象の赤ちゃん、狭い檻(おり)に閉じ込められた虎などの写真が載っている。

CIRCUS ELEPHANTS SPEND 96% OF THEIR LIVES IN CHAINS
サーカスの象は一生の九十六%を鎖につながれて過ごす
BORN INTO CRUELTY

残虐な行為にさらされるために生まれてきた

そのひとりは日系人の女性で、三十年ほど前にシアトルからニューヨークに越してきたという。会計士の夫とともに、時間があればプラカードを手に、こうして抗議活動を続けている。

彼女の掲げるプラカードには、後ろ足で立ち、前の象の背中に前足をかけて整列している象の写真があり、その下にこう書かれている。

NATURAL BEHAVIOR?
NOT WITHOUT THESE——BULLHOOK, CHAIN, STUN GUN
自然な行動？
調教棒、鎖、スタンガンなしでは、あり得ない

女性が本物の象の調教棒を見せてくれた。柄が長く、どっしりと重い金属製の棒で、鋭い鉤が付いた凶器だ。象のこめかみや耳の後ろの急所や体幹のツボに、これを当てる。人の指示に従わなければこうして苦痛を与えられることを、教え込まれる。

調教師が鉤を突き刺し、鞭打ち、蹴り上げ、動物が悲鳴をあげている映像を、私も前にネットで目にしていたが、本物の調教棒に触れたのは初めてだった。

彼らのような抗議活動を受けて、リングリング・ブラザーズのサーカス団は、今年、その百年以上もの長い歴史をもつ象のショーの幕を閉じた。ニューヨークでは私が見た公演を最後に、そして全米規模では、その二か月後のペンシルベニア州とロードアイランド州での公演で、象たちと別れを告げた。

サーカスから象がいなくなるのよ、と私が会場で話すまで、隣の肝っ玉母さんはそのことを知らなかったらしい。

It's not gonna work. It's not gonna work. It's the main part of the show.

そんなのあり得ないだろ。うまくいくわけないよ。それがショーの最大の見世物じゃないか。

そうだろ、そう思うだろ、と私に同意を求めた。

動物たちは公演をスケールの大きいものにし、楽しませてくれた。象が後ろ足で立ち、前足を前の象の背中に乗せたり、椅子に腰かけたり、ステップを踏んだり、虎やライオンがおとなしく一列に整列して、後ろ足だけで真っすぐに立ったりする姿は、愛嬌があり、かわいい。でも、それは威厳を奪われた動物たちの哀れな姿でもある。

会場では遠いのでよくわからないが、私が撮ったサーカスのどの写真でも、動物たちの目は悲しげに見える。狭い檻に閉じ込められた動物園の動物たちも、私の目には同じように映る。

マンハッタンを象が行進する横を、子どもたちが手をつないでうれしそうに歩いている写真を見たことがある。

ニューヨークの風物詩がひとつ、消えてしまうのは、正直、さみしい。でも、私たち人間を喜ばせるために、動物たちが辛い思いをしているのだとしたら。

It's not gonna work. It's not gonna work.

そんなのあり得ないだろ。うまくいくわけないよ。

サーカスで芸をするより、自然のなかで、自然な姿で暮らしてほしい。

リングリング・ブラザーズがこのピンチを乗り越え、ある日、肝っ玉母さんが同意を求めてくる日を楽しみにしている。

Yes, it works!

象さんいなくても、イケるね。

そうだろ、そう思うだろ？

It's not gonna work.
うまくいくわけないよ。

ある小さな紳士のお話

サーカスが終わると、会場内の売店は子ども連れでごった返していた。

フェイスペイントで道化師(どうけし)や虎に化けた子どもたちが、あちらこちらではしゃいでいる。アラブ系らしき家族五人は、実物大の二頭の虎の像を囲んで、記念写真を撮影中だ。子どもたちは、おもちゃに心を奪われている。小さなオートバイを何度も床で走らせてみる少年。真っ白な馬の置き物に、そっと指で触れてみる少女。黒人の女の子は、象のおもちゃをこちらに突き出し、ぶるぶる回転させている。

そんな様子を眺めながら、ぶらぶらしていると、私の脇を子どもたちの集団が通り過ぎようとしていた。ひとりひとりに、大人が付き添っている。私より背が高い子がほとんどだが、中学生くらいだろうか。

ひとりの少年が、付き添いの女性の向こうから、私に声をかけたようだった。

What did you say?

今、何て言ったの？

よく聞こえなかったので、聞き返した。

少年が答える。

You are a beautiful lady.

あなたはビューティフルな女性です。

Excuse me?

え?

あまりに唐突で、聞き間違いかと思った。

その子が黙ったので、付き添いの女性が、代わりに答えた。

You are a beautiful lady. って言ったのよ。

少年はまたそう言うと、女性の手を振り切って、私に歩み寄った。

You are a beautiful lady.

そして、両手を大きく広げたかと思うと、私を思い切りハグした。

私は思わず笑顔で、ハグし返した。

Thank you, and you are a handsome gentleman.

ありがとう。あなたはハンサムな紳士です。

Thank you.

と少年が答えた。

その子は十歳で、少年たちは皆、発達障害を抱えているという。

私をそんなふうにほめてくれる人は、めったにいないわ。

笑いながら、一緒にいた女性に言った。

自分で認めるのも悲しいが、私には最も縁のない「形容詞」である。

周りには、その形容詞を絵に描いたような女性もたくさんいた。

でも、少年はなぜか、きっと、ふと、そんな気持ちになったのだろう。

beautiful は、外見が美しいというだけでなく、内面が美しい、素晴らしい、素敵な、という意味がある。

思ったことを口にして、行動に移した少年こそ、心の美しい紳士に違いない。

You are a handsome gentleman.
あなたはハンサムな紳士です。

花嫁にキス、ですか

司式者(ししき)の前に、夫と私が進み出る。五、六メートル離れて後ろに、証人として、日本から来た夫の父親と妹、私の母と一番下の弟が立った。

ニューヨークの市庁舎の一室で、結婚式を挙げた。教会での式は日本から来る家族や友人たちの都合を考え、八か月後のゴールデンウィークを予定していたが、法律上の手続きを早めに済ませたかった。

日本では役所に書類を提出すれば済むが、アメリカで法的に夫婦と認められるためには、挙式をしなければならない。

市庁舎内にある簡易チャペルの前で、ごく簡単に式が行われる。チャペルといっても、特定の宗教を象徴する十字架などはない。あらゆる宗教や文化に対応するためだ。

さまざまな人種の組み合わせのカップルが、順番を待っていた。ウエディングドレスではなく、ワンピースなど、ふだんよりちょっとおしゃれした程度の服装の人が多い。

夫はオリーブカラーのスーツ、私は紺のワンピース姿だった。

その命ある限り、これを愛し、これを敬い、これを慈しみ、そばにいることを誓いますか。

司式者が夫に問いかける。

I do.（はい、誓います）　夫が答える。

同じことを、司式者が私に問いかける。

I do.（はい、誓います）　私が答える。

そして、いよいよ、誓いの言葉を封印するための、キスの瞬間が訪れる。

You may kiss the bride.

花嫁にキスを。司式者が夫に促す。

花嫁にキスが。やってこない。

夫の顔をのぞくと、緊張した様子で突っ立っている。

花嫁は待つ。が、キスは訪れない。司式者の言ったことが、わかっていないのか。

キス。キス。私は心の中で叫ぶ。

司式者と目が合うと、彼も不思議そうに夫の顔を見ている。

キスだってば！　私はついに声に出した。

夫は微動だにしない。突然、耳が遠くなったのか、この男は。

仕方ない。私は自分の顔を夫の顔に近づけ、唇を突き出す。が、夫は私より三十センチも高いので、唇まで届かない。つま先立ちで近づこうとして、よろけそうになる。

蹴りを入れたくても、後ろで親たちが見ていては、それもできない。

ようやく、夫が少しだけかがんだので、唇に触れた。

夫婦になった瞬間、夫婦げんかは始まった。

チャペルを出て、親たちのいないところで。

だって、と煮え切らない夫。

結婚したくないんだって、式を挙げてくれた人は思ったに違いないわよ。

できるかよ、キスなんか。親父の前で。

私たちがつき合い始めた高校生のとき、夫がファーストキスをしようと、顔を近づけてきた。私は思わず払いのけ、言い放った。

なんて、不潔なの！

もしや。あのときのリベンジか。

You may kiss the bride.
花嫁にキスを。

空飛ぶ宿題

No screen time for you.

あなたはスクリーンを観ている時間なんて、ないのよ。

私が窓際(まどぎわ)の座席に着くなり、隣にすわった少女が目の前のモニターを触ろうとすると、その隣の通路側にすわっていた母親らしき女の人の、厳しい声が飛んだ。

成田発ニューヨーク行きの飛行機に乗り込んだときのことだ。

娘はしゅんとなって、バックパックの中からワークブックを数冊、取り出し、目の前のテーブルの上に置いた。

一番上のワークブックの表紙には、カラフルな分厚い本が何冊も重なった絵が描かれ、その上に大きく、MY HOMEWORK（私の宿題）と書かれている。

えっ、スクリーンを観ちゃ、いけないの。

驚きの声をあげる。少女ではなく、私が。

そうよ。一週間、学校を休んで、宿題が山のようにたまってるんだから。

母親が私に向かって、ほほ笑みながら、ウインクする。

ふたりはフィリピン系アメリカ人だった。親戚の結婚式でフィリピンを訪れた帰りだという。成田で乗り換え、これからニューヨークへ戻る。

少女は無言でワークブックを広げ、分数の引き算を解き始めた。

飛行機の窓をたたきつけていた大粒の雨が、夕日に光っている。カメラを取り出し、写真を撮る私を、少女が見つめる。

お母さん、厳しいのね。かわいそうに。十三時間のフライトで、アニメもゲームもお預けなの?

言葉に出さないけれど、少女に同情する私の気持ちが伝わったのか、ときおり、顔を上げて、私を見ると、肩をすくめる。

離陸まで停止したまま、かなり待たされた。その間、少女は顔をワークブックに近づけ、小さな手に鉛筆を握りしめて、問題を解いていた。

やがて、飛行機が滑走路をゆっくりと進み始め、離陸した。

飛行機が舞い上がる。と、その瞬間、少女が母親に向かって手を伸ばした。小さな手を、母親がぎゅっと握る。飛行が落ち着くまで、ふたりの手はしっかり握り合ったままだ。

母親が娘の髪にそっと口づけする。私と目が合うと、母親がほほ笑む。

子どものいない、母であることを知らない自分が、ふとさびしくなる瞬間だ。

それでも、ベビーカーを見れば泣いていた、あの頃とは違う。

今、ふたりを見つめる私も、笑顔になっている。

母親はしばらく、スクリーンで映画を観ていたが、疲れ切った様子で眠っていることも多かった。女の子は母親に寄りかかってわずかの間、うたた寝することもあったけれど、算数と英語の問題を真剣に解き続けていた。

ふたケタの引き算の問題だ。
Find the differences. Check your answers by adding.
差はいくつですか。足して、答えが合っているか、確かめましょう。

英語には、こんな選択問題がある。

Where are (giraffes', giraffe) homes?

キリンの家はどこですか。

私も〝自分の宿題〟を隣でやって、お母さんの代わりに少女を見守ろう。
I'll keep you company.

私がそばにいて、あなたにつき合うからね。

パソコンをオンにし、原稿の画面を開いたとたん、眠気に襲われ、意識を失う。

ふと気がつくと、少女はひとり、小さな唇から舌の先を少しだけ突き出して、黙々と宿題と闘っていた。

どうやら、私がつき合ったのは、少女ではなく、お母さんのほうらしい。

I'll keep you company.
私がそばにいて、あなたにつき合うからね。

第４章

とっておきの出会い

騎馬警官、五番街をゆく

マンハッタンの五番街を歩いていると、騎馬警官が私たちを追い越していった。

観光客でごった返すタイムズ・スクエアなどではよく目にするが、群集のなかで立ち止まっていることも多い。五番街をさっそうとゆく姿は、何ともかっこいい。

耳と胸、片目の周りなどが茶色の白い馬。警官は水色のヘルメットに、紺の制服姿だ。

私は隣にいた夫を置いて、いきなり、馬を追いかけて走り出した。

追いつくと、騎馬警官の脇を後ろ向きで走り続けながら、シャッターを切り、追い越されると、また猛ダッシュし、振り返ってカメラを向ける。

イエローキャブを背景に、ニューヨークらしい写真を撮りたいが、バスやトラックにさえぎられ、なかなかうまくいかない。

私が必死に撮っているものだから、観光客たちも目を留め、騎馬警官にスマートフォンを向ける。が、私のようにしつこく追いかけ続ける人はいない。

教会の帰りで、ヒールのある靴を履いていたので、何度も足をくじきそうになる。しかも、後ろ向きで走っているから、思い切り、ポールにぶつかり、ゴミ箱に激突しそうになった。

戦場カメラマンでもあるまいし、怪我(けが)もいとわずに、しかも、これほど執拗(しつよう)に撮影する私に、何事かと思ったのか。それとも、哀れに思ったのか。警官がついに馬の上から声をかける。

Do you want me to stop?

止まってあげようか。

でも、職務中でしょう?

That's all right.

そのくらい、どうってことないさ。

そう言って、少し歩道のほうに寄り、私のためにポーズを取る。

疲れ切った私は、休みついでに、ここぞとばかりにシャッターを切る。

が、馬が歩いているほうが、本当は動きがあっていい。背景に、高級ブランド店、ヴェルサーチの大きな看板があるのも気に入らない。半ブロック先の聖パトリック大聖堂の前なら、完璧だった。

と、騎馬警官が、馬を歩かせ始めた。

Can he read my mind?

彼は私の心を読めるのか。

そして、聖パトリック大聖堂の前で、馬を止めた。

ここにしようか。

さすが、ＮＹＰＤ（ニューヨーク市警）の騎馬警官。観光客やカメラマンの気持ちをお見通しだ。ありがとう。

深い感謝の思いでカメラを向けた瞬間、どういたしまして、と言わんばかりに、馬がドバドバッと道路に大量の糞をした。歩きたいのに足止めされている恨みか。

警官は馬糞が入らない位置に、馬を進めてくれた。どこまで気のきく警官だろう。

命を狙われでもしない限り、絶対に走らない夫が、ようやく私に追いつき、つぶやく。

まるで、ＮＹＰＤの専属カメラマン。いや、パパラッチだね。

しばらくすると、騎馬警官の後ろから市バスがやってきた。

どかないと、危ないわ。もう行ってください。ありがとう。

騎馬警官に、お礼を言う。

まだ、撮り足りないんじゃや、ないのかい。

いいえ、もう十分です。騎馬警官を、五番街であまり見かけたことがなかったから、ついうれしくて。

Well, I'll try to come more often for you. See you soon.

そうか。これから、君のために、もっとしょっちゅう、来てあげるよ。じゃあ、また。
そして最後にGood luck.と言うと、五番街をゆったりと南に向かって下りていった。
Good luck. いい写真が撮れているといいね、ということか。これからもいい写真を撮れるといいね、という励ましか。

家に戻って、撮った写真を数えてみたら、三十九枚あった。
その一枚は、ここで日の目を見ることになり、パパラッチ、いや、NYPDの専属カメラマンは喜びも一入(ひとしお)だ。
馬には舌打ちされそうだが、ほかほかのお礼の品は写っていない一枚を、選ばせていただこう。

Can he read my mind?
彼は私の心を読めるのか。

ランチのおかずは、街ゆく人たち

先生はもうすぐ、九十歳になろうとしていた。元気な声で出てくれますように。祈る思いで、数年ぶりに電話する。

岡田さん？　ああ、うれしい。どこにいるの？　今日、お会いできる？

先生はいつものように日本語で、本当にうれしそうに、そう言った。先生がニューヨークで日本語を話す相手は私だけなのに、終戦まで日本の統治下の韓国で、日本語で教育を受けてきたから、忘れることはない。

私たちは三十年近く前に知り合った。新聞の取材で、先生の学校を訪ねた。先生は韓国でずっと教師をしていたが、三十代のとき、ニューヨークにやってきた。

アメリカの学校に通う韓国系の子どもたちに、韓国の言葉と文化を身につけ、忘れないでほしいと、四十代のとき、学校を作った。設立日は、一九七三年五月五日、韓国でも子どもの日だ。授業は毎週、土曜日にある。

今も現役で、朝、誰よりも早く学校へ行き、放課後、誰よりも遅く学校を出る。

先生の英語名は、グレイス（Grace）。何年か前にアメリカ国籍を取ったけれど、韓国出身だから、本名は許昞烈（ホ・ビョンリョル）。私は、たまにグレイス、でもたいてい、先生と呼ぶ。

あんまり喜んでくれるので、その日は家で仕事と決めていたけれど、はい、先生、今日、お会いしましょう、と気づいたら答えていた。先生と会うときはいつもこうなのだ。

では、メイシーズ（老舗デパート）前の小さな広場で、午後一時に。

万が一、会えなかったときのために。先生、携帯電話を持っていますか。

会えないこと、ないでしょう？　ずっとそこで待ってる。ああ、うれしい。

広場のテーブルにすわって待っていると、先生が私を見つけた。

ぐるりと一周回って、向こうからあなたを見て、すぐにわかったの。

この東側はコリアンタウンと呼ばれ、韓国系の飲食店やスーパーが軒（のき）を並べ、ハングルがあふれる。先生は逆の南西へ向かって、足早に歩き始める。

ランチどきで人通りが多く、横に並んで歩けないので、私はすぐ後ろをついていく。

先生は歩くのがとても速い。

先生は何も言わずに、街でよく見かけるサンドイッチのチェーン店に入っていく。

どこで食べようかと考えたけれど、あなたと会うときは、いつも韓国料理でしょう？

ここの店は人気があって、every single corner（各ブロックの角）にあるの。

日本語で話しているのに、突然、英語や韓国語が交じるので、私は混乱する。

先生はいつも、私がお金を払うことを頑なに拒む。店に入ると、先生はアボカド・サンドをさっと選ぶ。私があれこれ迷っていると、大きなサンドイッチを指差して、これにしなさい、と先生っぽい口調で言う。はっきりしたやや強い言い方なのに、私にはとてもかわいく聞こえる。

サーモン・サンドが美味しそうだったのでそれを手にすると、もっと大きなサンドイッチを指差して、怒ったように言う。そんなのを買わないで、これにしなさい。

でも、これが食べたい、と五回ほど主張すると、先生は苦笑し、しぶしぶあきらめる。大きくて、もっと高いサンドイッチを食べさせたい、と思ってくれているのだろう。

I have a question.

質問があるの、と突然、英語で先生が聞く。

どうしておんなじ?

何が?

変わってない。そう。年寄りみたいじゃないし。最初に会った頃と同じ。そのまま、かわいらしいし。

そう言って、にこにこしながら、私の頬をなでる。先生こそ、変わっていないのに。

先生と並んで窓に向かってすわり、サンドイッチをほおばりながら、通りを歩く人たちを眺めている。先生はおしゃべりに夢中で、サンドイッチはほとんど手つかずだ。

こういうところで食べるのが好き。こういう食べ物も好き。都会にいるのに、田舎みたいね、と先生が言う。

都会にいるのに、このカジュアルさ、庶民のぬくもりを感じられる雰囲気が、好きなのだろう。

そう。だから私は、先生が好き。

そして、先生は続ける。

ニューヨークは人が個性的で、生き生きしているでしょう。どうやってそんなことを思いついた？　どこからこういう発想が生まれる？　と思うことが、しょっちゅうある。

That's the way we live in New York.

それが、ニューヨーク・スタイル。

私のおかずは、街ゆく人たち。こうして人を眺めているだけで、おなかがいっぱいになる。いろいろなおかずがあって、どれも美味しいの。

ああ。だから私は、先生が大好きなのだ。

That's the way we live in New York.
それが、ニューヨーク・スタイル。

二国のはざまで

天皇陛下がきちんと詫びた。よかったですよ。

サンドイッチを前に、道ゆく人を眺めながら、韓国系のグレイス先生が唐突に言った。

その三日前の終戦七十年の記念日に、全国戦没者追悼式で天皇陛下が述べられた言葉のことだった。

「さきの大戦に対する深い反省と共に、今後、戦争の惨禍が再び繰り返されぬこと」を切に願う、と。初めて「反省」という言葉を使われた。

あのとき、美智子さんは髪を後ろにまとめて、和服を着て、日本人のようでいい。外国に行くときは、いつも帽子に洋服でしょう？　それもよいけれど。

天皇皇后はいいご夫婦ですよね、と私が言った。

そう。とってもいい。美智子さんは偉かった。美智子さんは一般人だった。テニスで出会った。その出会い方もいい。

私たち韓国人は苦しんだ。けれど、過去は過去です。過ぎ去ったことを、くよくよしません。私たちには未来があるから。大切なのは、今日と未来です。

そして、思いがけないことを、先生が口にした。

戦争はもちろん、ひどいこと。でも、副産物もあるんです。戦争が起きなかったら、アジアは植民地のままだった。タイ、日本、中国以外のアジアの国は、どこも植民地だった。何か大きなことが起きなければ、システムは変わらない。

日本人も韓国人も中国人も、とても優秀な民族です。だから、私たちみんながEU（欧州連合）のように力を合わせれば、素晴らしいアジアになりますよ。

先生の話を聞きながら、何年か前に終戦記念日を韓国のソウルで迎えたとき、目に飛び込んできた「15」の赤字を思い浮かべる。

料理店の壁にかかっていたカレンダーの真ん中に、赤で書かれていた「15」日。韓国では「光復節」と呼ばれ、日本統治からの解放を祝う日だ。頭ではわかってはいたけれど、立場の違いをひしひしと思い知らされた。

日本の統治時代に生まれ育った先生は、日本に対してどのような思いを抱いているのだろうか。

ランチを終えて、先生のアパートメントに向かう。韓国語の新聞二紙を脇に抱え、背筋をピンと伸ばして、先生はマンハッタンをさっそうと歩く。黒地に白のストライプの

47A W 29th St.
Epoch

入ったベレー帽、黒地に白の幾何学模様入りのジャンパースカート、黒い革靴と、シンプルに統一されたファッションだ。とても九十歳になるとは思えない。

カメラを向けると、どうして私の写真を撮るの、と言いながら、ちょっと照れた笑みを浮かべる。モデルになったみたいだわ。

先生のアパートメントは、何度か訪ねたことがあった。が、そのとき初めて、リビングルームやベッドルームに飾られた昔の写真に目を留めた。ともに白い民族衣装を着た父親と母親の写真が、並んで額に入っていた。そばにお酒の瓶が並んでいる。

お父さんのお酒。私、いつもここに置いてる。お父さん、お酒が好きだから。

先生は子どもの頃の写真を見せてくれた。写真のなかの先生は、どれも意志の強そうな目をしている。三歳くらいだろうか、おかっぱ頭にチマチョゴリを着て、手に伝統的なおもちゃを持っている写真、写真館で家族で撮ったものもあった。

いい服を着させて、こんな写真を撮っていた家族は、あまりないですよ。

一九一〇年、大日本帝国が大韓帝国を併合した。先生はその十六年後に京城（日本統治時代のソウルの呼称）で生まれた。八歳で妹が生まれるまで、ひとりだったから、父母に大事に育てられた。

父親は官吏で、役所に勤めて、経理か何かの仕事をしてたと思うの。これをいつも胸のポケットに入れておったんですよ。

そう言って先生は、父親の小さな象牙のそろばんを見せてくれた。

家では韓国語を話したが、韓国人だけが通う学校で、日本語で教育を受けた。教師も、数人の韓国人以外は、日本人だった。

一九三九年、創氏改名の制度ができたとき、先生は女学校に通っていた。半強制的に実施され、ほとんどの韓国人が日本式の氏に変えた。

先生の氏「松山」は、韓国のどこかの地名に由来しているのではないかという。

その頃、憧れを抱いていた、若い日本人の国語の先生の話になると、夢多き女学生に戻ったようだった。

アベ先生は日本語の最初の時間に、バベルの塔のお話をしたんですよ。日本語を使うことが皆の心をひとつにするから、日本語を熱心に習いましょうって、教えたかったんでしょう。それを聞いて、そうなのか、と納得して、素晴らしい先生だと思ったんですよ。

バベルの塔は、旧約聖書の創世記に書かれている伝説の塔だ。同じ言葉を話していたノアの子孫たちが、民族が分散しないように、天に届くような高い塔を建てようとした。その人類のおごりに神が怒り、それまでひとつだった言葉を混乱させて、意思疎通ができないようにしたという話だ。

アベ先生はその話の前半を使って、日本語を学ぶ必要性を教えたかったのだろうか。

大学を卒業したてで、頭に油を塗っていないですよ。それに紺のネクタイ、紺のジャケット、灰色のズボンで。あんなに美しい人を見たことがない。とても優秀で、先生として尊敬していました。アベ先生、とっても好きだった。

I was crazy about Abe Sensei.

私はアベ先生に夢中でしたよ。

グレイス先生は、そこだけ英語で言った。

女学校を卒業し、師範学校に進学した。そこで初めて、日本人と一緒に学んだ。全学年二百人のうち、韓国人は四分の一ほどで、グレイス先生は首席で卒業したという。

今でも師範学校の先生を、とても尊敬していますよ。先生にとっては、学生が日本人であろうと韓国人であろうと、関係ない。差別しなかったですよ。二年生のときに担任だったヒョウドウ先生が、本当に好きだった。マントを着て、馬に乗った姿を見たことがありますよ。

一九四四年に師範学校を卒業し、終戦まで師範学校付属小学校で一年生を教えた。

一年生だったから、よかった。もっと大きな子どもたちだったら、「日本は強い、日本は正義だ」というようなことを教えなければならない。だから、私は苦しまなくて、よかったんですよ。

そして、迎えた終戦。日本統治から解放される瞬間が訪れたのだ。

職員室で、日本人の先生が泣き出した。何が起きたのか、わからなかった。日本人の校長先生が、戦争が終わりました、日本が降伏しました、と静かにおっしゃるの。外に人がいっぱい、いる。韓国人が皆、喜んでいるけど、ところどころに日本の兵隊が立っているから、刺激してはいけない。心を静めましょう、と言われましたよ。

外に出たら、韓国の着物を着た人が多いのね。どこに隠してあったのかわからない。それまでモンペをはいていたのに。韓国の国旗を初めて見た。あれがそうなのだな、と思った。心を占領することは、できないですよ。

でも、日本人の先生がかわいそうだった。日本に帰るとき、ヒョウドウ先生の奥さんがおっしゃったの。あなたにあげたいものがあるけれど、あなたがそれを持っていて、何か被害を受けたらいけないから、あげられない、って。

それまで日本語だけで教育を受けてきたので、韓国語を習ったことが一度もなかった。先生は、過去を取り戻すように、朝も夜も韓国語を習いに通った。

これから学校で子どもたちに、自分たちの言葉でずっと教え続けるために。

I was crazy about Abe Sensei.
私はアベ先生に夢中でしたよ。

日本の名前に変わっていった

私の思いを書きました――。そう言って韓国系のグレイス先生が、会った直後に、日本語でしたためた二枚の紙を、私に手渡した。英文のように、言葉と言葉の間にスペースが入っていた。

女学校の　頃、日本流に　創氏改名する様に　なった。強制的では　なかった　けれども、さかんに　奨励(しょうれい)した。毎時間の　はじめに　先生が　出席簿の　名前を　よむ時は　友達の　名前が　少しづつ　日本の　名前に　かわって　いった。

それで　学生達の　感情が　かわって　いった。なぜ　日本の　名前に　かわら　なければ　いけないのか　わけが　わからなかった。

三・四人が　集って　よい　名前を　つくって　みようと　たわむれた。

公園　ブラン子、くつした　パン子……　これらは　どうか　しらと　いっては

大笑い　した　おぼえも　ある。結局は　大部分の学生が　名前を　かえた。
私の　家では　創氏改名の　家族　会議を　ひらいた。伯父（おじ）が　座長に　なって　家族　みなが　社会で　働くか、学校で　勉強を　して　居るから　創氏改名を　するより　しかたが　ない。私の　考へでは　姓は〝松山〟に　したい。家族と　因縁（いんねん）の　ある　土地だから。
名前は　個人で　選ぶように。それで　私は〝芳子〟に　なった。韓國の　名前が　特別　だったから、ありふれた　名前を　えらんだ。これで〝松山芳子〟は　日本人に　なったのかな？　それが　疑問だった。
師範学校の　時は　日本　各地から　きた　百五十名の　学生と、韓國の　五十名の　学生が　いっしょに　四学級で　勉強した。特別に　思はれた　事と　言へば、日本の　学生は　一部生、韓國の　学生は　二部生と　呼ばれた　事だった。なにかの　外見的な　特別な　差別を　うけた事は　ない。
韓國と　日本は　となり　あって　いる。お互いに　知らん　ふりを　する事も　できない。にくみ　あふ　事も　できない。近くに　住んで　いる事は　大切で　ある。それで　過去を　あやまる。許るす。忘れる　しか　ないと　思ふ。私達は　未來に

向って　進まないと　だめだ。
國と　國の　間は　外交で　まぢわる。両國の　國民達は　それ　ぞれの　心で　交わる。たとえば　岡田さんと私は　三十年を　こした　交わりだ。お互いの　友情は　國を　越える。こんな　交わりは　たくさん　ある　だろうと　思ふ。この様な　きづなが　國の　交わりの　基礎だと　思ふ。
　両國の　わたくし達は　お互いに理解し　あって、たすけ　あって　くらす様に　つとめなければ　ならない　隣人で　ある。それは　特別な　かんけいだ。
　一九四五年　八月十五日の　事は　忘れられない。正午に　玉音（ぎょくおん）放送が　あると　言ふので　皆　職員室に　集った。だけど　雑音が　ひどくて　ききとれない。大部分が　日本人の　教師　だったが　なきだした。皆　ひどく　緊張した。
　街に出ると　人々で　動きが　とれない。日本が　敗けて　韓國が　独立すると　言って　いた　けど　先が　見えない。韓國人は　日本兵を　しげき　しない　様に　よろこびを　かみしめて　いた。だけど　街は　喜びで　いっぱいだった。ねむれない程　ただ　ただ　うれしかった。日本人は　想像も　つかない　だろう。

（原文まま）

マンハッタンの夕焼け小焼け

生い立ち、家族のこと、日本への思い——。

韓国系のグレイス先生は、いろいろなことを話してくれた。

私は続けて二度、先生のアパートメントを訪ねた。

数日前に会ったとき、先生と話し込んでしまい、時計を見たら、友だちとの約束の時間に間に合わないことに気がついた。

私は友だちに電話して何度も謝り、先生、私、駅まで猛ダッシュしますから、ここでお別れします、と話したら、一緒に駅まで行きましょう、と先生が出かける準備を始めた。

先生、大丈夫です。私、ものすごい速さで走りますから。

私の言うことなどに、先生は耳を貸さない。

先生も私のあとを、ものすごい速さで走ってきた。三ブロックも、四ブロックも。

やがて先生が、息を切らして、光世さ〜ん、と叫んだ。

もう、私を、置いて、行き、なさい。気を、つけて。

先生はその日も、二十三丁目にある地下鉄のFラインの駅まで私を送っていく、と言い張った。

先生、もういいですから。ひとりで行けますから。

私がそう言うと、先生は怒ったように答えた。

ひとりで行くってこと、ないでしょう。東洋は違うんです。

東洋という括りで先生と私を語ったことが、なんだかうれしかった。

マンハッタンの空が、オレンジ色に染まりつつあった。

「夕焼け小焼け」をきっと先生は、子どもの頃、歌ったのだろう。

ゆうやけこやけで　ひがくれて
やまのおてらの　かねがなる
おててつないで　みなかえろ
からすといっしょに　かえりましょう

私が口ずさむと、先生も一緒に歌い出した。先生は一テンポ、遅れている。もう何十年も、歌っていないのだろう。

先生と一緒に大きな声で、歌いながら、マンハッタンを歩いた。楽しそうにふたりが歌っているので、道ゆく人たちが振り返る。

歌い終えると、先生が言った。

かわいいねぇ、とっても。

かわいいねぇ、と言いながら、先生がこんなふうに口ずさむ、韓国の歌はあるのだろうか。家ではお父さんやお母さんが、韓国語の童謡を聞かせてくれたのだろうか。

ニューヨークに住む韓国系の子どもたちの多くは、ずっとアメリカで暮らしていくことになるのだろう。それでも、祖国の言葉と文化をできる限り身につけてほしいと、先生は結婚もせず、家庭も持たず、人生のすべてを教育に注いできた。

先生は言っていた。

私はときどき思うのよ。自分の言葉で教育を受けられなかったことが、韓国で二十年間、アメリカで五十年間、韓国の言葉や文化を教え続けてこられた原動力になっているのではないだろうかと。

子どもの頃、自分が口ずさめなかった歌を、学校で学べなかった韓国語を、解放の日まで見ることのなかった韓国の旗を、今の子どもたちにしっかり覚えていてほしいと、思い続けてきたのだろう。

二十三丁目の駅に着いた。
ホームへ降りる階段のところで、先生が私を抱き寄せ、頬に口づけした。
そして、愛おしそうに私の頬を、右手でやさしくポンポンとたたいた。
また会いましょうね。
先生が言った。
はい、もちろんです。

I'm so grateful that I met you.
先生と出会えて、本当によかった。
そう口にしたら涙があふれそうだから、私は黙って先生を抱きしめ、一気に階段を駆け下りた。

I'm so grateful that I met you.
先生と出会えて、本当によかった。

Entry
Entry
OSWALD COBBLEPOT
GOTHAM
MONDAYS
SEPT 22 FOX 5
FISH MOONEY
GOTHAM
MONDAYS

地下鉄で、アケマシテ、オメデトーゴザイマス

黒人の女の人が地下鉄に乗り込んでくるなり、床に携帯電話を落とした。私の隣にすわっている白人の男の人が、それに気づくと、突然、その女の人に向かって、まるで攻撃するような口調でまくし立てた。

そんなものを持ち歩いているから、本当の意味でのコミュニケーションを、みんな忘れてしまっているんだよ。前はちゃんと相手の目を見て会話していた夫婦だって、今じゃ一緒にいても、ふたりとも手には携帯電話を持っているんだ。

八月の土曜日の昼頃だったので、乗り合わせた人たちは皆、半袖のTシャツかポロシャツだが、彼だけ、よれよれではあるけれど、スーツにネクタイ姿だ。

女の人は別に不愉快そうな顔をするでもなく、ときにほほ笑み、私の場合、そういう心配はないわよ、などと返事をしながら、言葉を交わしている。

用があって、私が携帯電話を取り出した。隣の男の人の視線を感じる。今度は私に説教するのだろう。

少し緊張していると、案の定、男性が私に向かって話しかけた。

Big smile! Big smile! アケマシテ、オメデトーゴザイマス。

お盆の時期に、なぜか日本語でこの挨拶。私は仏頂面(ぶっちょうづら)だったのか。思い切り、作り笑いしてみるが、その人は何も言わない。

少し間を置いてから、君は東京の出身か、と尋ねてきたので、そうです、と答える。

イサム・ノグチを知ってるかい。

イサム・ノグチはアメリカ生まれの著名な彫刻家だ。彼の美術館が、マンハッタンの川向こうのクイーンズ区にある。

はい、知ってますよ。

彼は素晴らしい男だよ。

友だちだったんですか。

友だちじゃないが、何度か会ったことがある。彼の美術館は行ったかい。素晴らしいよ。彼は重要な男だ。

あなたも芸術家なんですか。

そうだよ。絵も描くし、彫刻もやるし、作曲もする。イサム・ノグチについて詩を書いたこともあるんだ。

彼はイサム・ノグチについて話し終えると、バッグの中からスケッチブックのような厚手のノートとペンを取り出し、車両の向こうをじっと見つめている。

地下鉄で絵を描くんですか。

Yes. I'm trying to concentrate. Thank you. Nice to meet you.

そうだよ。今、集中しようとしているところなんだ。ありがとう。会えてうれしいよ。

つまり、私はこれから絵を描くから、邪魔しないでくれ、というわけだ。

絵のモデルを見つけたようで、スケッチブックにペンを滑らせ始めた。私は気づかれないように、そっと横目でのぞいてみる。

少し太めの女の人の絵を、さらさらと描いている。見かけによらず、漫画チックなかわいらしい絵だ。彼の視線の先に、それらしきヒスパニック系の体格のいい中年女性がすわっている。

モデル選びのポイントは、何なのだろう。聞いてみたかったが、邪魔するなと言われているので、黙っている。

と、突然、手を止め、私たちの前にすわっている若い黒人の女性グループに声をかける。

違うよ、次の駅はロックフェラーセンターじゃない。五番街だ。で、その次がロックフェラーセンターだよ。

スケッチに集中しているのかと思ったら、他人の話に耳をそばだてていたのだ。

彼が話していた〝本当の意味でのコミュニケーション〟を、実践しているというわけか。

おかげで、私も乗り過ごさずに済みそうだ。

五番街の駅に地下鉄が到着する。

It was nice meeting you.

お会いできて、うれしかったです。

文字どおりの気持ちを込めて、そう絵描きに声をかける。

彼はスケッチブックから一瞬だけ顔を上げ、笑顔で同じ言葉を私に返した。

I'm trying to concentrate.

今、集中しようとしているところなんだ。

いじめられた僕の夢

アメリカ人の学生に気軽に声をかけ、冗談を言い合っている様子から、かなりアメリカ生活が長いことは想像がついた。私にはきちんとした日本語で話し、堂々としながらも、礼儀をわきまえ、感じのよい日本人の青年だった。

大学時代に一年間、留学していたオハイオ州の大学を、十数年ぶりに訪れたときに出会った。

一緒に昼食を取りながら、ひょんなことから海外帰国子女の話になった。

僕もいろいろ、人生勉強しましたよ。

その学生は明るく笑った。

彼は父親の仕事の関係で、生まれたときから数年おきに、日本と海外で交互に過ごした。高校時代にも一年間留学したあと、日本の高校を卒業し、この大学に進学。翌年、卒業予定だと言った。

彼の言う人生勉強は、日本の学校での体験だった。小学校二年生でアメリカから戻ったときに、それは始まった。それまでクラスでいじめられていた子の代わりに、〝ほかの子と違う〟自分がいじめられるようになった。

クラスメートは縄跳びの縄で、彼の首を絞めようとした。机にすわっている彼を何人もの生徒が取り囲み、肘などで背中を押し続けた。

ゲーム感覚なんですよ。でも僕はやり返さずに、じっと机にすわっていた。泣いていたのは、痛かったから。悔しいとか辛いとかは思わなかった。普通になりたかった。みんなの仲間に入りたかった。だから、ただ、殴られていたんです。

休み時間にはサッカーの仲間に入れてもらえなかったから、砂場でひとりで遊んでいた。

日本の学校では、トイレで大便をするとからかわれることを、彼は初めて知った。クラスメートが彼を一緒に個室に呼び入れ、自分が用を足している間、背を向けて立っているようにと彼に指示した。用が済むと、彼を先に個室から出し、友だちには彼が大便をしたように見せかけた。

テストの答案用紙を後ろから集めるときに、同じ列の前の方にすわっている女の子が、彼の答案用紙の答えを消して、わざと間違った答えを書き入れたこともあった。

かっこ悪いと思われたくなかったから、親にいじめのことはひと言も話さなかった。

ある日、あざだらけになっている彼の背中を見て、親は初めて気がついた。

僕は鈍感だったから、よかったんでしょうね。敏感だったら、自殺していたかもしれない。

でも、それは今、この大学でも続いている。肉体的な苦痛から精神的な苦痛に変わりましたけど、と彼は言う。日本から来たばかりの留学生たちが、自分を無視し、陰口をたたいているのがわかるという。

I wonder why.

どうしてなんでしょうか。

日本人の本音と建て前みたいなものが、自分にはよくわからないんです。自分もひと言、余計なことを言ってしまうのかもしれない。日本人といると、将棋を指しているようで、三手先を読んでいないと、いつ突然、王手をかけられるかわからない気がする。

しばらくすると、ほかの日本人学生が話に加わったので、私たちは話題を変えた。

日本に帰ると、一本の木でも私とどこかでつながっているような、そんな懐かしさが込み上げてくる。

そう私が話したとき、彼は黙り込んだ。

そして、しばらくしてから思い出したように、ぽつんと言った。

さっきの木のこと、ずっと考えていたんです。確かに前はそう感じたような気もする。でも、もう、そんなふうには思えなくなったみたいです。

別れ際に、この青年は私に向かって、失礼します、と丁寧(ていねい)にお辞儀をした。

どの国より日本での体験が辛かった、と彼は言った。

それなのに、いや、それだからこそ、なのか。彼はこう語った。

将来は日本に帰って、教育に携(たずさ)わりたいんです。それが僕の夢なんです。

I wonder why.
どうしてなんでしょうか。

第５章

愛しいあなた

SCOOP
NESPRESSO

プラダを着た悪魔のヒロインか

映画「プラダを着た悪魔（*The Devil Wears Prada*）」で、アン・ハサウェイ扮するヒロインのアンドレアが、スーツにハイヒール姿で、高級ブティックのショッピングバッグを六、七個、抱え、セントバーナード犬を連れてマンハッタンを歩いているシーンがある。

今まさに、私の目の前をそんな女性が歩いている。ショッピングバッグをいくつも抱え、左手にはリードを握り、フレンチブルドッグを三匹も引き連れて。

信号を無視して、大通りを斜めにさっそうと横切る姿が、いかにもニューヨーカーという感じで、私は写真を撮りたくなり、彼女を追いかけた。

写真？　もちろん、いいわよ、とよろけながら、笑顔で答えた。

三十代くらいだろうか。よく見ると、紙のバッグはしわしわで、折り畳んだあとが真ん中に付いているし、ぱんぱんで中身があふれんばかりだ。朝十時頃だったし、ショッピング帰りというふうではない。しかも、体の半分ほどもありそうな、大きな段ボール箱を抱えている。

三月なのでニューヨークはまだ寒く、彼女も冬物のセーターを着込んでいるのに、素足でビーチサンダルだ。この人目を気にしないミスマッチで庶民的なスタイルこそ、真のニューヨーカーの姿である。

終わったら、荷物を持つのを手伝うから、と何度も念を押しながら、私はカメラを向けた。

リードがからまって、犬が身動き取れなくなるわ、バッグが肩からずり落ちそうになるわで、犬も彼女もよたよたしながら歩いている。途中で立ち止まり、思わずため息をつき、苦笑している。

それを見ていたおばあさんが、すれ違いざまに私に声をかける。

ちょっと、あんなに荷物を持って、大変じゃないの!

はい、はい。ごめんなさい。撮り終わったら、ちゃんと手伝いますから、もうちょっとだけ、と私が弁解する。

紙袋に入っているのは、服などの身の回り品で、これから寄付しに行くのだという。大きな段ボール箱は、そのあと郵便局に持っていき、遠くに住む家族に送る。

でも、山ほど荷物を抱えているときに、どうしてわざわざ犬の散歩をしているわけ?

金融の仕事をしているんだけど、忙しすぎて、この子たちと過ごす時間がないの。

I want to be with them as much as I can.
できるだけ一緒にいたいのよ。

結局、彼女の袋を半分持ち、大きな段ボール箱も私が抱えて、寄付の荷物を届けに行くのにつき合い、おしゃべりしながら三十分ほど一緒に歩いた。
三匹の犬のリードがもつれて、立ち往生していると、それを見て通りすがりの人たちが笑顔を向ける。
どれもこれも、私の好きな、ニューヨークらしい風景——。

I want to be with them as much as I can.
できるだけ一緒にいたいのよ。

ニューヨークが嫌いなウエイトレス

Beautiful Italy（美しいイタリア）

若い元気なウエイトレスが、紙のランチョンマットを敷いてくれた。イタリアの地図が国旗の三色でデザインされ、その上に緑の文字でこう書かれている。

これ、とってもイタリアンだね、と夫が言うと、持って帰る？　持って帰りたければ、もう一枚、持ってくるわよ、とウエイトレスがすぐさま陽気に答えて、頼みもしないのに二枚、持ってきた。いかにも、イタリアの明るいイメージだ。

ブルックリンのベンソンハーストにある、おふくろの味のシチリア料理を出す店で、地元の人たちでにぎわっていた。この辺りは昔からイタリア系移民が多く、朝からおじさんたちがカフェに集まってサッカー観戦するなど、ゆったりと時間が流れている。

手渡されたメニューを眺めていると、彼女が戻ってきた。

ニューヨークで生まれたの？　とウエイトレス。

東京よ、と私が答える。

Nice. Do you like it here?

いいわね。で、あなた、ニューヨークはどう、気に入ってる？

好きよ。あなたは？　と私が聞くと、ウエイトレスは顔をしかめる。

Unfortunately, when you're born here, New York City is not a nice place. I'll move to Tokyo. So, what would you like?

残念ながら、ニューヨークで生まれたら、ここは好きになれない街よ。私、トーキョーに引っ越すわよ。で、何、食べる？

人気メニューは何？

パネリ（Panelli）とヴァステッダ（Vastedda）。どっちもシチリア名物よ。

パネリはひよこ豆、ヴァステッダは牛のここ、と自分の脇腹に当てた手を上下させる。

味見してみる？　すぐに答えずにいると、持って来てあげるわ、と去っていった。

しばらくすると、イタリアンブレッドが山盛りのバスケットをテーブルに置いた。せわしなく、料理を運びながら、あちこちでなじみの客としゃべっている。忘れているのだろうと思い始めた頃、試食用のふた皿を持ってやってきた。

パネリは薄い四角いコロッケのようで、豆の味がする。別の皿に載っているのは、黒っぽい内臓の切れ端だ。蜂(はち)の巣(す)のように小さな穴がいくつも空いている。レモンも添えてくれた。

下手物好きの夫はもちろん、内臓に目を輝かせているが、私は試食で十分だ。店頭に惣菜が並んでいたのを思い出したので、あそこから、これを二つ、これを三つ、って注文してもいいかしら、と聞くと、もちろんと答えてから、私をからかった。

Do you think this is a buffet or something?

ねぇ、あなた、ここをビュッフェか何かと勘違いしてない？

夫はこれを食べてみたいそうよ。私が自分の脇腹に当てた手を、上下させる。

私が店頭に行くと、この人は〝ビュッフェ〟だから、と担当の店員に彼女が笑って伝える。私はそこから、トマトとモツァレラチーズとナスの重ね焼き、エビとマッシュルームの詰め物を選んで、頼む。

夫のヴァステッダは、脾臓を具にした丸いバンズのサンドイッチだ。白いリコッタチーズと黄色いカチョカヴァロチーズがたっぷり挟まれ、厚さが十センチはありそうだ。

あなたはこれ、好きなの？　私が脇腹を指して、ウエイトレスに聞いた。

好きじゃないわよ、こんな下手物、と顔をしかめる。

ここだけの話だけど、前はこの脇腹とほかの部位を三つ混ぜて、ミンチみたいにして売ってたのよ。味が混ざってすごく美味しいの。でも十年前に違法になったのよ。シチリア島に行ったら、内臓料理を食べてみて。美味しいわよ。で、ここにまた来て、感想を教えてちょうだい。

この人はいったい、内臓料理が好きなのか、嫌いなのか。
ニューヨークも好きじゃないわ、と言いながら、ここであんなに楽しそうに働いている。内臓料理と同じで、ちょっといただけないこともあるけれど、イタリアン、ジャパニーズ、いろいろな味が混ざって、深みのある味が生まれる。それが、ニューヨーク。
Beautiful New York（美しいニューヨーク）
レストランを出るとき、彼女に別れを告げたかったが、客と楽しそうにしゃべっていた。入口にいた店員が、彼女の名前はダイアンだと教えてくれた。
Bye, Diane. Thank you.
バーイ、ダイアン。ありがとう。
ダイアンが私たちに気づく。
Bye! Say hello to Tokyo for me.
バーイ！　トーキョーによろしく。
Sure. Say hello to Sicily.
了解。シチリアにもよろしくね。

Say hello to Tokyo for me.
トーキョーによろしく。

When you are
Here.
You are
Home

山の雫で乾杯

ウィスコンシン州の小さな町の高校に留学したとき、マリー・ジョーと私は隣同士に住んでいた。ふたりの家の間に広がる芝生に寝転がって、よく一緒に宿題をした。彼女の家ではときどき、スランバー・パーティ（slumber party）があった。友だちが集まって、パジャマを着たまま、ベッドの上でおしゃべりしながら夜更かしする。

そんなとき、いつもそばにあったのが、緑色の缶入りのマウンテンデュー（Mountain Dew）だった。私はこれが、大好きだった。

マウンテンデューは、レモンライム風味の弱炭酸飲料だ。甘いので、ニューヨークに住むようになってからは、ほとんど口にしなくなった。

日本語にすれば「山の雫」という美しい名称は、スコットランド人が山奥で密かに蒸溜していたウイスキーに由来する。十八世紀の連合王国のもとで、イングランドに対する反発から、酒税を納めずに密造していたのだ。

マウンテンデューはもともと、ウイスキーを割る飲料として作られた。

その高校の同窓会に出席するために、五年ぶりにこの町を訪れた。隣のミネソタ州の空港まで二時間かけて、マリー・ジョーが家族で迎えに来てくれた。

私たち夫婦がニューヨークの教会で挙式したとき、娘のニコールはまだ小学生で、フラワーガールとしてバージンロードに花びらを撒(ま)いてくれた。あのはにかみ屋の少女が、今はすっかり体格もよくなり、私を見下ろしながらハグする。

マムの親友を迎えに行くからって、二時に仕事を切り上げたのよ、とニコールが笑う。

途中で、ネイティブ・アメリカンの部族が経営するカジノに立ち寄り、レストランで夕食を取った。カジノは人であふれ、高齢者も多い。あの頃は、こんな場所もなかった。

Make sure to drop by.

絶対に立ち寄って。

マムとダッドがそう言っていたから、会いに行かないとがっかりするわ。本当は空港に一緒に来たがったのよ、とマリー・ジョーが言う。

彼女の父親のジョージは、すでに七十九歳だった。両親とも私をとても可愛がってくれた。私を一年間、家庭に預かって面倒を見てくれた、ホストファミリーのマムとダッドは、もうこの世にいない。

だから今、あの町に戻ると、ジョージと妻のジョアンが私のマムとダッドのようだ。いつまで会えるかわからない。そう思い、同窓会に出ることを決めた。

その日、ジョアンとジョージは、美しい湖の畔にあるコッテージで一日、のんびりしていた。私が過ごした町から、車で三十分ほど走ったところだ。留学時代に、私も何度も遊びに行った。

車を止めてコッテージに入ると、ふたりは知り合いの夫婦を招いて、四人でトランプをしていた。私は初対面のその夫婦とまず抱き合い、それからジョアンと抱き合った。最後にジョージが私を抱きしめ、頰ずりをした。ジョージはアメリカ人にしては小柄でやせていて、あの頃と同じように、ズボンにサスペンダーをしていた。それが彼のトレードマークだった。

ミッツ、前と変わらず、今も美しいね、とお世辞を言った。

そして、私の目を見つめて、言った。

Welcome home, Mitz.

おかえり、ミッツ。

以前、同じように同窓会に出席するためにこの町に戻ったとき、ジョージは私を抱きしめ、その言葉をかけてくれたのだ。

あのときのことを、私は『ニューヨークの魔法のことば』に書いた。ゲラになる前の原稿がちょうど手元にあったので、英語に訳そうか、と言うと、皆、興味津々に身を乗り出した。ジョージが自分の膝を軽くたたいて、言った。
ここにすわりなさい。
でも、あの頃とは、もう違う。ジョージも年を取った。
私がすわったら、膝を痛めてしまうわ。
そう言って私が拒んでも、いいから、ここにすわりなさい、と膝をたたく。
私はジョージの膝に体重をかけないように、腰を浮かし気味にすわった。振り返ると
ジョージは、幼い子どもを見つめるような目で私にほほ笑んだ。
私が高校に留学していたとき、ジョージは町の郵便局で働き、夕方から夜にかけて副
業で、スクールバスを運転していた。そこで暮らし始めた頃、私は日本が恋しく、よく
泣いていた。バスに乗り込むと、ジョージが必ず声をかけてくれた。今日はお母さんか
らこんな大きな小包が届いているぞ。喜べ、ボーイフレンドから手紙が来たぞ、と。
五年前に戻ったときは、空港から何時に着くかわからない私を、ジョージはダッドや
マリー・ジョーと一緒に、家の外に立って待っていてくれたのだ。

原稿の束をめくり、「故郷」というエッセイを英語で読み始めた。
ジョージは、私を強く抱きしめて、頬ずりした。そして、私の体を少し離して、じっ

と目を見つめながら、言った。

Welcome home, Mitz.

おかえり、ミッツ。

よく帰ってきた。ここは君の故郷だからな。

映画館も書店もしゃれたレストランも何もないけれど、そう言って迎えてくれる人たちがいる。

私は故郷に帰ってきた。


最後のその文を読み終えると、彼らの友人のトニーが目頭（めがしら）を拭っている。

ミッツの本に登場するなんて、名誉だよ。ありがとう。

ジョージはそう言うと、ヘイ、ミッツ、と声をかけ、立ち上がった。

そして冷蔵庫のドアを開けると、飲むか、と私に向かって緑色の缶を掲げた。

山の雫で乾杯だ。

Make sure to drop by.
絶対に立ち寄って。

夫の追っかけ

ふと気づくと、ふたつ向こうの席の女性が、私を見つめている。

空港の搭乗口近くに充電用のスタンドを見つけ、その前にすわっていた。機内で執筆するために、ノートパソコンをフルに充電したかったが、電源はすべて使われていた。

私がいつも持ち歩いている二股のプラグを差して、一緒にチャージさせてもらえないだろうか、と辺りを見回した。が、誰とも目が合わなかった。

勝手に触っては申し訳ないと思いながら、ごめんなさい、とつぶやき、赤いケースに入った携帯電話のプラグを私の二股に差し、電源をシェアさせてもらったところだった。

これ、あなたの携帯電話かしら。

私を見つめていたその女性に、声をかけた。

違うわよ。

女性はろくに携帯電話を見もしないで、そう答えてから、言った。

あなたのヘアスタイル、後ろがとっても素敵ね。

日本でカットしてもらったばかりのボブで、ニューヨークでこの髪型をほめてくれたのは三人目だ。

ありがとう。で、携帯はあなたのじゃ、ないのね？

赤いケースの携帯が、私のよ。

だから、その携帯と一緒に、充電させてもらったのよ。

あら、そう。ありがとう。

この女性、なんだか上の空だ。勝手に携帯電話を触ったのに、お礼を言われて妙な気分だ。

あなたのヘアスタイル、後ろがとてもおしゃれね。

ねぇ、あなた、さっきからわざわざ、後ろ、後ろ、って強調するけど、前から見たら、よくもないってわけね、とちょっとすねてみた。

いえいえ。その、後ろが短くて、前に向かって少しずつ長くなっているのが、とても粋なのよ。

Are you going to Stockholm?

ストックホルムに行くの？

私が聞いた。

I hope so.

そう願ってるわ。

そう願ってる？

I'm on standby. I'm following somebody.

スタンバイ（空席待ち）なの。私、追っかけなのよ。

追っかけ？

Yes, I'm following my husband.

そう、夫の追っかけなの。

夫がパイロットだから、いつも一緒の飛行機で行くのよ。夫は世界じゅうの街に飛ぶの。今回はストックホルムで四日間あるの。私はいつもスタンバイ。乗れることが多いけれど、乗れないこともあるわ。

まあ、素敵ね。

そう、とってもロマンチックでしょ。ファーストクラスに乗れたこともあるわ。夫と結婚して、もう三十四年。でも、夫の追っかけは、結婚前からよ。

そう言って、女性は私にウインクした。

Yes, I'm following my husband.
そう、夫の追っかけなの。

ストックホルムを歩くかわいい奥さま

と、私たちの目の前に、制服姿のハンサムなパイロットが現れた。

席は取れたかい？

そう声をかけながら、手に持っていたカップ入りのアイスクリームを彼女に差し出す。

あら、私のアイスは？

私がからかう。

パイロットがこちらを見て、ほほ笑む。

クルーメンバーにご馳走しておいたから、君の面倒もよく見てくれるはずだよ。

夫に手を振り、笑顔で見送ると、アイスをなめながら、女性が言う。

夫のフライトに乗れなくて、一度だけ泣いたことがあるの。それはクリスマスのとき。

Does that mean I can't celebrate Christmas with my husband?

それって、夫と一緒にクリスマスを祝えないってこと？

って、大泣きしたわ。

やがて、搭乗口でアナウンスが始まった。スタンバイだろう、何人かの名前が呼ばれた。しかし、女性の名はない。その人は軽くため息をついて、私を見る。

しばらくすると、二度目のアナウンスが流れた。

彼女が立ち上がった。名前を呼ばれたらしい。

スーツケースを置いたまま、カウンターへ向かう。そして、小躍りしながら、笑顔で戻ってきた。手にはしっかり、搭乗券を握りしめている。

You made it.

追っかけ成功ね。

そうよ。ストックホルムに行けるわ。座席は、エコノミーの二十二。

エコノミーだろうと翼の上だろうと、夫と飛べればどこでも大喜びだろう。

最初に彼女と話したとき、〝上の空〟だったのは、〝空の上〟を飛べるか、気がかりだったからだろう。

それなのに、ヘアスタイルだけやけに気になっていたのは、ストックホルムに着いたらまず、おしゃれにヘアカットを、と思っていたのかもしれない。

何しろ、ストックホルムは、北欧のベネチアと呼ばれるロマンチックな街だから。

女性の夫が操縦する飛行機は、ついに離陸した。大西洋を越え、スウェーデンへと向かう。

到着したとき、クルーメンバーにお礼を言いながら降りようとすると、ドアのところにあのハンサムな制服姿のパイロットが笑顔で立っていた。

乗れるかどうかわからないのに、女性はいつもスーツケースに荷物を詰めて、空港で待っている。乗れずに、ひとりすごすごと、家に帰っていかなければならないこともある。

それなのに、なんでそこまでしたいのか、理解できない、って家族や友だちは言うけれど、私は楽しんでるの、と女性は笑っていた。

大好きな夫と腕を組んで歩くかわいい奥さまに、異国の街角でばったり出会いそうな予感がする。

これだから、追っかけはやめられないのよ。

きっとそう言って、ウインクするだろう。

私と同じヘアスタイルに変わっていたら、ほめてあげよう。

どこから見ても、とっても素敵ね、と。

Does that mean I can't celebrate Christmas with my husband?
それって、夫と一緒にクリスマスを祝えないってこと?

スニーカーとスーツケース

ストックホルム空港の荷物引渡用コンベヤーのところに、心細い思いで立っていた。スーツケースが、なかなか出てこない。運ばれてくるのは、私のと同じ黒ばかりだから、見落としているのだろうか。前にアメリカから帰国したとき、スーツケースが行方(ゆくえ)不明になったことがある。不安は募(つの)るばかりだ。

と、突然、暗闇から私を引きずり出してくれるかのような陽気な声で、見知らぬ中年女性に話しかけられた。

まあ、素敵じゃないの。あなたのスニーカー、Tシャツの色とマッチしてるのね。

私はショッキングピンクのTシャツを着て、同じ色のスニーカーを履いていた。

I noticed.

私、気がついたわ、と自慢げだ。

ありがとう。でも、服を着替えちゃったら、もう靴とマッチしないわね。

あなたのことだからもちろん、服に合わせて、靴も全色、持ってきてるでしょ。

そう、そう。だから、スーツケースがぱんぱんよ。

いつの間にか、私も明るく、彼女のジョークに合わせている。

その人はアメリカ人だった。私と同じフライトで、女友だちとふたりで観光にやってきたという。ふたりのスーツケースは、とっくに出てきていた。

あなたのも、早く見つかるといいわね。じゃあ、いい旅を。

去り際に、その人が私に声をかける。

ありがとう。あなたもね。

女性は歩き出してしばらくすると、ほほ笑みながら、振り返った。

あなた。早く見つけられるように、スーツケースの色も、その靴とマッチさせるべきだったわよ。

I noticed, too.

私も気がついた。いつの間にか、異国の旅の始まりにわくわくしている自分に。

降り立ったばかりの未知の国で、女性の明るいユーモアに、緊張していた心がほぐれていく。ほら、向こうから、スニーカーとマッチしていないスーツケースも流れてきた。

I noticed.
私、気がついたわ。

先生と呼ばないで

もう私はあなたの先生ではなく、友だちなのだから、ファーストネームで呼びなさい。

そう、ずっと言われてきた。

何度か試みたが、やはりファーストネームで呼ぶことなどできない。

私にとって、先生はいつまでも、ドクター・ルイス。ルイス博士だ。

オハイオ州の大学で一年間、交換留学生として学んだときに、指導教授だった。同じ女性ということもあり、当時から学問だけでなく、家族や恋愛などプライベートなことも、何でも相談できる先生だった。その後も私たちは、ずっと連絡を取り合ってきた。

遊びにいらっしゃい、と声をかけてくれたので、数年前に一週間、先生の家に泊まった。冷蔵庫に、「MITSUYO」と書かれた一週間分の献立が、貼られていた。

先生は、ヨーロッパ北東部のエストニア出身で、九歳のときに家族とともにアメリカに亡命した。英語がまったく話せず、クラスメートたちにからかわれ、悔しい思いをした。見返してやりたい、と懸命に勉強した。

やがてコーネル大学を卒業し、ハーバード大学の大学院で修士号と博士号を取った。どちらの大学も、奨学金付きだった。ペンシルベニア州の州立大学であるテンプル大学などでも教えていたが、大きな大学はあまり好きになれなかったという。

オハイオ州にある小規模なオハイオ・ウエスレヤン大学に移った。五年後、私はその大学で、先生と巡り合った。学生数は今もわずか千六百人ほどで、教員一人に対して学生十一人という恵まれた環境だ。時間をかけて学生を指導できることが、気に入った。

背中や足を痛め、早期退職した。その三年後に、先生に会いに行ったのだ。足の手術をし、毎日、鎮痛剤を飲んでいた。痛くて六分以上、歩けないのよ、と言った。

留学していたとき私は、先生の上級ライティング（Advanced Composition）という授業を取っていた。ある日、先生が私に、留学生を対象とした全米エッセイ・コンテストに応募するようにと勧めた。テーマは、「国際理解」だった。

私は英文科の学生だったが、アメリカ南部の歴史に関心があり、英文学と歴史の授業ばかり取っていた。毎回、課題に出るリーディングの量が、半端ではなかった。

宿題で手いっぱいで、これ以上、何もできません。

そう答えると、先生が言った。ぜひ、あなたに応募してほしい。応募するなら、私の授業の宿題はすべて、免除してあげますよ。

その六年前、アメリカの高校で一年間、学びたい、と私が言い出したとき、家族が猛反対した。父と祖父はすでに亡くなっていたが、明治生まれで、日蓮宗の熱心な信者だった祖母は、耶蘇（キリスト教）の国に行きたいなら、岡田家との縁を切って行きなさい、と言った。

私は遺書をしたため、自分の机の上に置いた。

アメリカに行けないなら、渋谷の地上三十二階の東邦生命ビルの屋上から飛び降ります、と書いて。

やがて祖母はあきらめ、留学を許してくれた。

一年後、ウィスコンシン州での留学を終えて、帰国した。アメリカ人の友人や先生に囲まれて笑っている写真を見せたときに、祖母が私につぶやいた。

人間は世界じゅうどこにいても、同じなんだね。

I suppose people are the same the world over.

私はこのことをテーマにエッセイを書き、応募することにした。

I suppose people are the same the world over.

人間は世界じゅうどこにいても、同じなんだね。

私への遺言(ゆいごん)

その後、ドクター・ルイスは雪で転び、大怪我で何週間も入院してしまった。私は書いたエッセイを彼女の家の郵便受けに入れ、家族がそれを病室に届け、先生が病室で手を入れ、また家族が家の郵便受けに戻しておいてくれたものを、私が取りに行った。それを何度か繰り返し、応募した。

数か月後、外国人留学生の担当だった教授に呼び出された。

君のエッセイが、一位に選ばれたよ。

コンテストを主催した首都ワシントンの保険会社の担当者が、私が留学していたオハイオの大学まで飛び、大学をあげて授賞の祝賀レセプションが開かれた。州都コロンバスと地元の新聞が大きく取り上げ、エッセイ全文が紙面に掲載された。

私は一千ドル、大学は三百ドルの賞金を受け取った。オハイオでの一年間を終えた夏、私はそのお金を使って、アイオワ大学の有名なクリエイティブ・ライティングのプログラムで学んだ。

ドクター・ルイスと、もう一人の作家・詩人の教授が、アメリカの大学院でクリエイティブ・ライティングを学ぶように勧めてくれ、ニューヨークの大学院に進学した。ずっと中学校の英語教師になりたいと思っていたから、先生のあのときの励ましがなかったら、今の私はいなかったと思う。

ドクター・ルイスの家に滞在していたとき、そう話すと、本当に？　と先生は目をうるませた。

数日後、私が先生の家のリビングルームで、パソコンに向かって執筆していると、先生が静かに入ってきた。

仕事中？　ちょっと邪魔してもいいかしら。

先生は私の隣にすわると、テーブルの上にアンティークの小さな磁器の小物入れとカメオのブローチを置いた。

先生はじっと私を見つめ、話し始めた。

　私は中学生の頃まで、自分に書く才能があるなんて思ってもみなかったの。高校で素晴らしい女性の英語の先生と出会った。先生がそれを見出してくれて、私だけに特別に宿題を与えたりして、ずっと励まし続けてくれたのよ。先生がいなかったら、私は大学でライティングを教えていなかったでしょう。

その先生が亡くなったとき、弟さんから私宛に、この小物入れとブローチが送られてきたの。姉の遺言です。これをあなたに持っていてほしい——と手紙に書かれていた。記憶はちょっともう曖昧になっているけれど、確かこの小物入れとブローチは、先生が自分のおばあちゃんからもらったと書かれていた、と思うわ。

自分の恩師の話を終えると、ドクター・ルイスが私に言った。

I want you to have these.

だから、これをあなたに持っていてほしいの。

言葉が出なかった。涙がこぼれた。先生も泣いていた。

私は立ち上がり、すわっている先生を抱きしめた。先生も私を抱きしめた。

あなたにとって私も同じような存在だと、言ってくれたでしょう? でもね。今回、あなたが訪ねてきてくれる前から、そう決めていたの。

先生が言った。

先生には教え子がたくさんいる。ふたつとも私がもらうわけにはいかないと思った。

ひとつだけください、と私が言った。

アンティークの小物入れは白地で、四隅に黄色の台形、それを結ぶように、そして中央にも大きく、ピンク、オレンジ、青の花柄が、鮮やかに描かれている。赤銅色のカメ

オのブローチは、聖母マリアだろうか、ベールを被り、うつむいた女性が彫られていた。
どちらも美しかったが、身に付け、いつも存在を感じられるブローチをもらうことにした。

I will pass it on.
私もこれを譲ることにします。
いつか、同じような存在の誰かに。
私は言った。
あなたが年老いたときにね、ぜひ、そうしてちょうだい。

I will pass it on.
私もいつか、これを譲ることにします。

第６章

ニューヨークな気分

太陽のキス

　十数年前、久しぶりにニューヨークから日本に戻ったとき、自転車で向こうからやってくる女性を見て、思わずのけぞりそうになった。

　中世の騎士のように、顔全体を覆(おお)い隠す黒いサンバイザー、肘まである黒の長手袋、黒いトップに黒いパンツ、自転車のハンドルには黒いカバーと、全身黒ずくめではないか。

　ハロウィーンでもなければニューヨークでは見かけない、まるで魔女のようなその姿に、「ニューヨークの魔法」ならぬ「ニューヨークの魔女」（私）は怯(ひる)んだ。

　ハワイのビーチでたったひとり、全身を覆い隠す白いドレスを着て、日傘を差してすわって海を眺めていた女性も、日本人だった。

　日本の女性たちの徹底した日焼け対策に、心底驚いたものの、影響されやすい私は、UVカットのつばの大きなハット、サンバイザー、長手袋、日傘をすべて黒で買い揃え、〝仮装〟を楽しんでみた。が、サンバイザーのつばが暗すぎて前が見えず、トラックにぶつかりそうになるわ、長手袋は暑苦しいわ、で長くは続かず、やがて日本での日焼け対策は、日焼け止めと日傘だけになった。

一歩、日本を飛び出せば、日焼け止めだけだ。マンハッタンのセントラルパークやユニオンスクエアパークでは、三月でも少し気温が上がろうものなら、男性は上半身裸、女性はビキニ姿で芝生に寝転び、日光浴を楽しんでいる。

ヨーロッパやアメリカで日傘といえば、ルノアールやモネの絵に描かれている貴婦人のイメージなのか、使っている人をほとんど見かけない。ニューヨークで日傘代わりに雨傘を差している人はいたが、中国人とヒスパニック系の女性だった。

私はその夏、六十代の友人夫婦、ロブとベッツィの家に泊まっていた。ロブはいたずら好きで、真面目な顔でぼそっとおかしなことをつぶやく。

ふたりは毎朝、バルコニーで朝日をさんさんと浴びながら、立ったまま、新聞を読んでいる。

私も、おはようの挨拶をするために、バルコニーへ出ていく。朝といえども、夏の日差しは強い。私は太陽を忌み嫌うようにさっと背を向け、顔が日に焼けないように、目の上に左手をかざす。

と、ロブが私に向かって背筋をぴしっと伸ばし、右手を上げて敬礼する。

私が首を傾げると、ぼそっとつぶやく。

日本でそのような敬礼をするとは、存じ上げませんでした。そういえば、ロブの息子は米海兵隊員だった。基本的に敬礼は、右手で行うことになっている。

思わず、右手で敬礼し直す。別に私、軍人じゃないんですけど、と思いつつ。

敬礼し合っているふたりを見て、ベッツィが笑う。

ミッツィ、どうして日に当たりたくないの？

これ以上、シミが増えたら、嫌だもの。子どもの頃、ソバカスがあって、よくからかわれたの。

ミッツィ、とベッツィがやさしい笑みを浮かべる。

Freckles are sun kisses.

ソバカスは太陽のキスなのよ。

sun-kissed、あるいは sunkissed は、「(人が健康的に) 日に焼けた」、さらに「陽気な」「明るい」という形容詞だ。

あの頃、そんなことを言ってくれる人がいたら、太陽のように明るい子ども時代を送っていただろう。

しかし、そのあとがひどかった。

昔は皆、小麦色の肌に憧(あこが)れた。

中学生のときはサラダオイルを体中に塗って、東京の家の屋根の上に大の字に寝て、日光浴にいそしんだ。高校と大学ではテニス部だったから、炎天下で一年じゅう、ボールを追いかけ真っ黒に。

大学時代に、今の夫と日焼け止めも塗らずに、プールサイドで日光浴。真っ赤に火傷し、恥も外聞もなく、彼に全身キュウリパックをしてもらい、ひと晩、痛みで眠れず、死にそうになって、翌朝、皮膚科に駆け込んだ。

同じ頃、若気の至りで、ギリシャのヌーディストビーチで、素っ裸で爆睡。これはもう、太陽のキスなどというかわいいものではない。

そして、今の私がある。

太陽さま。これからは軽い投げキッス程度で、ご勘弁を。

Freckles are sun kisses.
ソバカスは太陽のキスなのよ。

東京ではできない頼みごと

危ないからニューヨークでは、地下鉄で居眠りをしてはいけない。この街に住み始める前に、日本人にそう言われたが、東京でもニューヨークでも、私は乗り物でよく眠る。この前、ニューヨークの地下鉄で、時差ぼけのためにものすごい睡魔に襲われた。でも、乗り過ごすわけにはいかない。と、前に地下鉄で夫に起きた出来事を思い出した。

隣にすわっている見知らぬ女性が、夫に頼みごとをしたのだ。

これから寝るから、自分が降りる駅に着いたら起こしてくれないか、と。

夫に頼む人がいるのだから、私が頼んでも、奇妙に思われないだろう。

何しろ、ここはニューヨークだ。少々のことで、人々は動じない。

私は早速、隣にすわっていた黒人の女性に声をかける。

時差ぼけでものすごく眠いんだけど、私が降りる駅に着いてもまだ寝ていたら、起こしてくれる?

もちろん、いいわよ、と何のためらいもなく、ふたつ返事で引き受けてくれる。

ニューヨーク。なんとありがたい街なのだろう。

私はすぐに眠りこけた。

Your stop is next.

次があなたの駅よ。

女の人の声で、目が覚める。

ひとつ手前の駅を、電車が出ようとしている。

おかげでぐっすり眠れたわ。

すっきりした気分でお礼を言うと、その人がほほ笑んで、答えた。

Okay, go home and get some rest.

さ、これから家に帰って、ゆっくり休むんだよ。

東京の地下鉄でも、つい、うたた寝して、うっかり乗り過ごすことがよくある。

東京にいてもニューヨークの調子で、つい他人に話しかけてしまう私だが、さすがにこの頼みごとだけは、まだ、試してみる勇気がない。

Okay, go home and get some rest.
さ、家に帰って、ゆっくり休むんだよ。

君たち日本人はワンダフル!

チャイナタウンの小籠包(ショウロンポウ)の人気店、ジョーズ・シャンハイ(Joe's Shanghai)は、その日も満席だった。外でしばらく順番を待ったあと、店の一番奥にある丸テーブルに通された。十人の相席だ。

熱々でジューシーな蟹(かに)肉入りの小籠包を、ジンジャーの千切りとともに、たれをつけてレンゲの上に載(の)せ、中の汁を一滴たりともこぼさないように、慎重にほおばる。

今日は、灰の水曜日(Ash Wednesday)なんだよね。おでこに黒い十字を付けた人が結構、いたよ。夫にそう言われて、初めて気づいた。

その日から、キリストの復活を祝う復活祭(Easter)を迎える準備のときが始まる。復活祭の前の日曜日、シュロの日(Palm Sunday)に、礼拝でシュロが使われる。シュロは燃やされ、翌年の灰の水曜日に、司祭がその灰を信者の額(ひたい)につけるのだ。キリストの受難をしのび、回心(かいしん)の印としてつけられたこの灰は、洗い落とさず、自然に消えるのを待つ。

ほら、あそこにいるよ。

食事も終わり、最後に出されるオレンジを食べていたとき、夫がはるか向こうのテーブルを指す。近視の私に、遠視の夫がいるのは、何かと便利だ。

するとちょうど、奥のトイレに行くためだろうか、その人がこちらに向かって歩いてくるようだ。五十代半ばくらいの、恰幅(かっぷく)のいいおじさんだ。

私たちのテーブルの脇を通り過ぎようとしたとき、立ち上がって私が声をかけた。

あの、おでこの写真を撮らせてもらっても、いいでしょうか。

男性は表情も変えずに、大声で怒鳴(どな)った。

You want to take my photo?

俺の写真を撮りたい、だと？

あまりに声が大きいので、何事かと周りの人たちが一斉にこちらを見る。

あ、あなたの、というか、あなたのおでこの……。

私はおじけづく。

それ、もう、消えかかってますけどね。

不穏な空気を察したのか、隣にいた夫が、穏やかに言葉を添える。

写真を撮りたい？　撮れよ！

いえ、結構です。失礼いたしました、どうぞそのまま、トイレへお進みください、と答えたくなるくらい、威圧的な言い方だ。

もちろん、撮っていいとも。

そう繰り返すのだが、写真など撮ったら、あとで何をされるかわからない、と私は思わず怯む。が、日本人の物書きで、前に灰の水曜日について本に書いたことがあるので、と説明する。

ナニ!? 日本? 君は日本人か! オー! アイ・ラブ・ユー!

その人は豹変(ひょうへん)した。

君たち日本人はワンダフル! 写真を撮るでも何でもしてくれ!

そう言いつつも、いかつい顔に笑みはない。

俺は家族で日本へ旅行する予定で、飛行機もホテルも全部、予約していたんだ。そうしたらその直前に、あの東日本大震災が起きた。で、旅をキャンセルせざるを得なかった。本当に申し訳ないと思った。突然のキャンセルなのに、日本人はみんな、とても親切に対応してくれたんだ。俺は日本も日本人も大好きだ。君たちはワンダフル。ビューティフル。だから、いつか必ず、日本に行かなきゃならないんだ。

俺はアイリッシュのカトリックだ。灰の水曜日のことは、マンハッタンに来るまで忘れてたんだ。

で、思い出して、教会に行ったのね?

そういうことだ。写真、撮れ、撮れ。こいつと一緒がいいか、と夫を指差し、それとも俺だけか、と今度は自分を指す。

君はなんて美しいんだ！　だろ？　そう思うだろ？

今度は夫に詰め寄り、同意を求める。

じゃあ、まずはあなただけ。それからふたりで。

彼は真面目な顔で、直立不動でこちらを見つめる。

次に夫と肩を組み、笑顔になる。

君は背が高くて、しっかりした男だな。ハンサムだし。

その人は夫に手を差し出し、ふたりは固い握手を交わす。

相変わらず、大声のまま、興奮気味に話し続けているものだから、相席のフランス人や中国人、ほかのテーブルの人たちも、こちらを見て笑っている。

ワンダフル、ワンダフル、ワンダフル、ワンダフル、と言いながら、私の右手を取ると、甲にキスをし、今度は夫の手を取り、甲にキスをする。

しばらくするとまた、ワンダフルを繰り返す。

君は物書きなんだね。書いているのは、クリエイティブ・ライティングかい。

NYU（ニューヨーク大学）の大学院でクリエイティブ・ライティングを学んだけれど、今は主にエッセイを書いているわ。まぁ、クリエイティブといえば、クリエイティブかしら、と私が笑う。

その人は目を輝かせ、また興奮し始めた。

俺は娘にＮＹＵでクリエイティブ・ライティングを学んでほしいんだよ。ぜひ、娘を君と会わせたい。いいかね？　いいだろう？　じゃ、また、必ず会おう。

Oh, you're beyond beautiful.

ああ、君は美しいのを超えている。

そう言うと、彼は最後にもう一度、私たちの手を取り、甲に口づけすると、ようやくトイレへ向かっていった。

私たちが日本人でなかったら、あのあと、どうなっていたのやら。

興味深い豹変ぶりであった。

ああ、彼は私たちの想像を超えていた。

Oh, you're beyond beautiful.
ああ、君は美しいのを超えている。

トライベッカを疾走するイノシシ

私はイノシシのように地下鉄のドアから飛び出し、階段を一目散に駆け上がり、暗がりのなかを疾走しながら、人を見かけると道を尋ねた。時差ぼけで毎晩、数時間しか寝ていなかったので、夕方二時間ほど仮眠を取るつもりが、寝過ごしてしまった。ジョギングならともかく、アメリカで道を走っているのは泥棒くらい、というのはわかっているものの、泥棒に間違えられる覚悟で、私は走り続ける。

トライベッカに住む知人宅のパーティに誘われたのだが、頼りになるのは住所だけだ。マンハッタンは碁盤の目のように道が整っている。東西に走るストリートの名称は番号になっていて、北へ行くほど大きくなる。南北に走るアベニューも基本的に、西へ行くほど数字が大きくなる。

ビルにも番号が付き、道の片側が奇数、逆側が偶数というように、私のような地図を読まない人間にとって、ありがたいシステムになっている。

しかし、トライベッカを含むダウンタウンまで来ると、斜めに交差する道も出てくる。

道の名前も番号ではなくなる。これに暗さが加われば、私は羅針盤を失った船同然だ。

アイフォーンで地図アプリを、試しに使ってみたことはある。実際の方角と合わせようと、アイフォーンをグルグル回していると、画面も回転してしまい、それが私をさらに混乱させ、アプリを使う以前に疲れ果てた。

人に聞いてコミュニケーションを取るのが一番、と自分の生き方を貫くことにした。

五度目に道を尋ねた相手は、三十代くらいの男の人だった。質問したものの、答えを待ちきれずに走り出した私に、後ろから叫んでいる。

ここをずっとまっすぐ、行けばいいんだよ〜。

サンキュー〜！

息せき切って、振り返りながら、私も叫ぶ。

Hey, I'm heading that way, too.

お〜い。僕も今、そっちに向かっているところだよ〜。

悪いけど、一緒に行けないわ〜。

Why are you in such a hurry?

なんでそんなに急いでるんだよ〜。

遅刻なの、遅刻〜。

何があるんだよ〜。僕はそのすぐそばに住んでいるんだよ〜。

知り合いの家でパーティよ〜。

大丈夫だよ。五分遅れるだけだってば〜。

だめよ。七時半の約束をもう十分も過ぎているから、走ってんのよ〜。

お〜い。日本に住んでいたベネズエラ出身の男が、ギャラリーをやっているけど、その人に会いに行くのか〜い？

男の人も、こちらに向かって走り出した。

違うわよ〜。ユダヤ人夫婦よ〜。私が日本人だって、どうしてわかるのよ〜。

そりゃあ、わかるさ〜。

私がますます、スピードを増すので、その人はとうてい追いつけない。

彼は立ち止まり、息を切らして、最後の道案内をする。

そ、そこから二本目の道を渡って、左手のビルだよ〜。

サンキュー〜！

彼に右手を上げて合図しながら、ひとりおかしくなった。

Why am I always in such a hurry anyway?
なぜ私はいつも、こんなに急いでいるの？
狭いマンハッタン　そんなに急いでどこへ行く

似たような、昔の日本の交通安全標語が頭に浮かぶ。

もっとゆったりしていたら、あの人と一緒に歩きながら、ベネズエラ出身の人の話を聞けただろうに。面白い出会いになったかもしれない。

いや、でも、疾走しながらの道案内。十分に面白い出会いだったかも。

イノシシか、泥棒か。

私は今日も懲(こ)りずに、マンハッタンを疾走している。

Hey, I'm heading that way, too.
お〜い。僕も今、そっちに向かっているところだよ〜。

5992

アバウトなゲイルと薬剤師

ビリー・ジョエルのコンサートが、いよいよ二日後に迫っている。

最悪のタイミングで風邪を引いた。彼のコンサートは先月も行ったからどうぞ、と友人のゲイルがチケットを譲ってくれたというのに。

早く治さなきゃ。チキンスープと風邪薬を、お見舞いに持っていくわよ。

電話の向こうで、ゲイルが言う。

アメリカでは、風邪といえばチキンスープを飲む。肉や野菜など嚙(か)まなければならないものが入っていれば、英語では飲む（drink）ではなく、食べる（eat）と言うけれど。

ゲイルのことだから、缶詰のキャンベルスープに違いない。彼女のキッチンには包丁もまな板もない。唯一の料理といえば、チキンかターキーを丸ごと一羽買い、それにガーリックやパプリカ、あらゆるパウダーをふりかけ、オーブンで丸焼きするだけだった。

ところが、会員制大型スーパーで、美味しい大きなロティサリーチキンが五ドルで買えるものだから、今ではそれをほぼ毎日、食べているらしい。並んでいるチキンを、かがんで真横から見比べ、一番高さのあるものを選ぶ。

ゲイル、ありがとう。うれしいわ。でも、私、風邪薬はほとんど飲まないの。飲んだって飲まなくたって、一週間だか十日だか、ウイルスに感染してるんでしょ。だったら、その間、咳(せき)だの鼻水だの、辛い思いすることないでしょ、っていうのが私の考えよ。コンサートに行けなかったらどうするの、とゲイルが電話を切る。

しばらくすると、電話が鳴る。

薬剤師からの質問なんだけど、ミツヨは高血圧？

どうやら、ドラッグストアにいるらしい。

違うわよ、と答えたのに、高血圧の人のための風邪薬を、ゲイルは買ってきた。コリシディン（Coricidin）という薬の箱に、COLD RELIEF for people with HIGH BLOOD PRESSURE と書かれている。

どうして？

知らないわよ。症状を伝えたら、これを渡されたんだから、いいんじゃないの？で、これがチキンスープ、と透明な円柱型のプラスチック容器を、ビニール袋から取り出す。野菜やチキンがたっぷり入ったチャイニーズスタイルで、美味しそうだ。

最近、気に入って、よく買ってるのよ。ヌードルがいっぱい入ってるんだけど、やけに長いのよ。食べる前に短く切りなさい。

そうそう、アメリカ人はよく、ヌードルをナイフとフォークを使って、細かく切って食べている。

お箸があるから、長くても大丈夫よ、と言っても、ゲイルは首を傾げているけれど、風邪でだるくて説明するのも面倒なので、放っておく。

それと、ミツヨの好きな海藻（seaweed）が入ってるわよ、ほら。

容器の中でゆらゆら揺れているのは、どう見ても青梗菜だ。

Oh, is that it? Whatever.

え、それ、そうなの？　ま、何でもいいわよ。

しかし、あのゲイルが野菜を食べている。よりによって、食べ物などとは思っていない海藻と勘違いして。

私が日本食を料理するのを気味悪そうに横目で見ながら、海藻？　野菜？　ノー、サンキュー、お金をもらってもいらないわ、が口癖だったのに。

熱でだるく、咳と鼻水で苦しむ私を相手に、ゲイルは二時間半も話し続けて帰っていった。体調はお見舞い前よりひどくなった。例の高血圧の人のための風邪薬を飲むしかないか。これ以上、話をするのも辛かったが、ドラッグストアに電話して、確認することにした。

コリシディン？　そんなの薦めた覚えないわ、となまりの強い英語で薬剤師が答える。

でも、薬剤師にこの薬を手渡された、って言ってたわ。

ねえ、あんた、コリシディンなんて客に薦めた？

薬剤師の話し相手は、突然、別の人に替わったらしい。電話の向こうから、いいや、と男の人の声が返ってくる。

ねぇ、誰も薦めてないわよ。

今度は私に話しているらしい。

薬剤師はあなたたちふたりだけなの？

そうよ、私たち以外、誰もいないわよ。あのね、一日百人以上に薬を渡してんのよ。いちいち、覚えてらんないわよ。あ、ちょっと、電話を切らないで、待っててよ。

そう言って、しばらくすると、電話口に戻ってきた。

今、成分をチェックしたわよ。それでいいのよ。箱の裏に三つの成分が書いてあるでしょ。そうそう、私だわ、これを渡したのは。思い出したわ。咳と鼻水と喉の痛みを抑えるのは、これよ、と薬剤師が答える。

どうやら、その薬を棚から持ってきて、確認したらしい。その〝行動力〟には一目置く。

でも、わざわざ高血圧かと聞いたのは、いったいなぜなのか。

覚えてないわよ。風邪が治ればいいんでしょ。治るって。さっさと電話を切って、それ飲んで、とっとと寝るのが一番よ。

電話は切られた。

じつは私は、アメリカのドラッグストアの薬剤師に対して、トラウマを抱えていた。以前、痛みに耐えかねてドラッグストアに駆け込んだとき、尿路感染症の薬が必要なのに、膣に入れる薬を渡された。

これ、違うと思うんですけれど。尿が出るところと赤ちゃんが出てくるところは、別でしょう、と言うと、同じに決まってるでしょ、と自信たっぷりに言い放ったのだ。

超強力（Maximum strength）とうたわれた大粒の錠剤は、血のように真っ赤だ。箱に書かれた説明の後半は見なかったことにして、とりあえず、薬を飲んでみる。

それまで時差ぼけがなかなか治らず、どの睡眠薬やメラトニンを飲んでも眠れなかったのに、この薬を飲んだら、永遠に目が覚めないのではと夫が心配するほど、熟睡した。

スープは栄養満点で、チキンや野菜に味がしみ込んでいて、美味しかった。

よくわからない薬とチキンスープと、アバウトなゲイルと薬剤師のおかげで、風邪はすっかり治り、ついに待ちに待ったビリー・ジョエルのコンサートの日を迎えた。

Oh, is that it? Whatever.

え、それ、そうなの？　ま、何でもいいわよ。

幻のビリー・ジョエル

あのビリー・ジョエルに、今度こそ、マディソン・スクエア・ガーデンで会える。「素顔のままで（*Just the Way You Are*）」、「オネスティ（*Honesty*）」、「マイ・ライフ（*My Life*）」、と挙げればきりがない。日本で、高校で留学したウィスコンシン州で、大学の留学先のオハイオ州で、そして大学院から過ごし始めたニューヨークで、彼の歌を、これまで何百回、口ずさみ、自分を元気づけたことだろう。

数十年前、同じ場所で起こった出来事が、まざまざと蘇（よみがえ）ってきた。

オハイオの大学に留学していたとき、同じ日本人の女子留学生とふたりで、ニューヨークに旅行でやってきた。ウィスコンシン留学中にも訪れていたから、二度目だった。

一九八〇年代半ばのニューヨークは、街中や公園にドラッグディーラーがたむろし、ホームレスの人たちが目立った。それまで、ウィスコンシン州でもオハイオ州でも、ホームレスを見かけたことがなかったので、突然、目の前に紙コップを手にぬっと現れるのが、当時は怖かった。

旅行者だと思われたら、スリに狙われる。しょっちゅう、後ろを振り返りながら歩き、道端で地図を広げたりせず、確認しなければならないときには、トイレを探して、駆け込んだ。そのトイレも怖いから、友だちと一緒に行った。

同じ大学に通っていた白人の男子学生の母親が、ニューヨークに住んでいた。その母親が何でもないような顔をして、スーツ姿で地下鉄に乗っているのを見たとき、こんなに恐ろしい街で、ふつうに暮らしている人がいることが、信じられなかった。

夜、マディソン・スクエア・ガーデンの前に人だかりができていた。騎馬警官の姿もある。なんと、何人もの大物スターがコンサートをするらしく、そのなかに私の大好きなビリー・ジョエルもいるというではないか。

と、男性が数人近づいてきて、私たちにチケットを見せた。その夜のコンサートのチケットだという。彼らは人気（ひとけ）の少ない暗がりに私たちを連れていった。

すごくいい席だろ、とチケットの座席を指差した。

偶然、こんな巡り合わせがあるとは。なんてついているのだろう。

私たちは大喜びで、それぞれ五十ドルを支払った記憶がある。

本当にありがとうございます。

彼らに何度も、お礼を言った。

いや、僕らも役に立てて、本当にうれしいよ。

Have a ball.

楽しんでくれよ。

彼らは親指を立て、笑顔で去っていった。

私たちはチケットをしっかりと握りしめ、入場の列に紛(まぎ)れ込んだ。すでに熱気が伝わってくる。人生で初めて、マディソン・スクエア・ガーデンに足を踏み入れようとしていた。まさかのビリー・ジョエルに、これから会えるのだ。

入口でチケットを渡す。

係員はすぐに突き返した。

ノー。

私は思わず、係員の顔を見る。

彼は素(そ)っ気(け)なく言った。

昨日のチケットだ。

たった今、あの親切な人たちから手に入れたばかりではないか。

何を言っているのよ。ほら。

私は日付を見せようと、チケットを確認する。

前日の日付が、書かれていた。

私たちは何も言えず、その場で追い出された。

座席にばかり気を取られていて、日付を確認しなかったのだ。

笑顔のあの男たちに、だまされた。

やっぱり、ニューヨークは恐ろしい街だった。

留学中、こつこつ節約して貯めた大事なお金を、ただの紙切れのために失った。私たちをだましたあの男たちへの怒りというより、あんな笑顔で人をだませる人がいるということが、ただ恐ろしく、震えていた。

私たちは口もきかずに、ホテルへまっしぐらに向かった。

その夜、一歩も外に出なかった。


大物スターが一堂に会するコンサートだったと記憶しているけれど、今になって考えてみると、ビリー・ジョエルだけで十分、大物なのに、本当にそんなコンサートがあったのだろうか。

じつはすべてが、幻だった。

あの夜のことは、そう思いたい。

Have a ball.
楽しんでくれよ。

A New York State of Mind　ニューヨークな気分

手にしているチケットは、今度こそ本物だ。マディソン・スクエア・ガーデンの売店で、私の顔の二倍くらいありそうな、巨大なバケツのポップコーンを景気づけに買った。

これをひとりで食べるのだ。ポップコーンは大好物だが、ふだんはカロリーを気にして、しかもこんなに大量に口にすることはない。でも今日は特別。ビリー・ジョエルだ。ポップコーンを抱えて、座席に着く。ステージから十三列目。手数料込み百四十四ドル九十五セントで、こんなに間近にビリーを拝(おが)むことができるなんて。

会場全体から歓声がわき上がり、いよいよビリー・ジョエルがステージに登場する。と、目の前が突然、真っ暗になった。停電か。いや、前にすわっていた人たちが一斉に立ち上がり、私は何も見えなくなったのだ。何しろ、身長百五十センチだ。

ぴょんぴょんジャンプしても、前の大男たちの肩にも届かない。歓声が激しくなればなるほど、私の焦(あせ)りは高まる。一体、ステージでは今、何が起きているのか。このまま、ビリーの姿をひと目も見ることができずに、コンサートは終わってしまうのか。

MADISON SQUARE GARDEN
BILLY JOEL
THE GARDEN
TONIGHT
SOLD OUT
CHASE
MADISON SQUARE GA
TISSOT
6 52
FASTER PEAK
SPEEDS IN NYC

ステージを囲むように観客席は広がっていて、私の席は列の一番端の通路脇だった。私はポップコーンのバケツを椅子の上に置くと、後ろの人の邪魔にならないことを確認し、靴を脱いで、椅子のできるだけ通路側に立とうとしたところで、バケツを蹴飛ばし、ポップコーンが床にこぼれた。あわててバケツを起こしたが、中身は半分しかない。もう一度、椅子の上に立つと、急に視界が開け、おお、愛しのビリーがついに目の前に現れた。ずいぶんと肉付きがよくなり、髪もなくなってしまったけれど、声の張りや伸びは昔のままだ。

下りなさい！　すぐさま、中年の背の高い警備員が現れ、私を指差し、注意した。何も見えないんです。いくら訴えても彼は、危ないから下りなさいと繰り返すだけだ。警備員さんの、その身長がほしい。百九十センチはあるに違いない。あわてて椅子から下りたものだから、床のポップコーンのバケツをまた蹴飛ばした。残りはもうほとんどない。大好きなポップコーンも食べられず、憧れのビリーも拝めず、私は泣きたくなってきた。

ステージから十三列目の席なのに、音しか聞こえないならば、何の意味もない。運の悪いことに、私の座席脇の通路の向こう側は、ちょうど警備員の待機場所になっていて、私の動きが丸見えなのだ。つねに五、六人の警備員が立ち、目を光らせている。

すると、私を元気づけるかのように、愛する「マイ・ライフ」のアップテンポな前奏が流れ、私のテンションは一気に上がる。さっきの背の高い警備員が、ちょうど前のほうへ歩いていった隙に、椅子の上に立ち上がり、大声で一緒に歌い始めた。

が、あの警備員、後ろに目がついているのか、すぐに戻ってくるではないか。こちらも椅子の上で見晴らしがよいので、警備員を監視できる。私を指差し、下りなさい、と命令し、下りたのを確かめると、こちらを見ながら、ほかの警備員に何か言っている。

あいつから目を離すな、と指示しているに違いない。人生でたった一度の「マイ・ライフ」を、こんな思いで聞かなければならないとは。何というマイ・ライフなのだろう。そうだ、と私は妙案を思いつく。警備員の待機場所の脇に立っていても、誰の迷惑にもならないはずだ。その向こうは座席の位置がかなり高く、後ろに向かって階段状にさらに高くなっている。

再び、背の高い警備員がいなくなったところで、なるべく邪魔にならないように、待機場所の脇にそっと立つと、ステージが見える。ほかの観客も飲み物を買いに立ったり、写真やビデオを撮るために通路に出てきたりしている。

ほかの警備員と目があったので、事情を説明し、直訴(じきそ)してみた。その警備員はウインクし、じゃあ、その陰に立っているならいいよ、と私の後ろにあるゴミ箱を指差す。

ありがとうございます。ゴミ箱の陰でも、ゴミ箱の中でも、どこでもいいんです。

私は飛び上がらんばかりに喜んで、お礼を言い、それからはステージを見ながら、会場の人たちと興奮と視界を分かち合えた。

と、さっきの背の高い警備員がまた私を見つけ、自分の席に戻れ、と命令した。

あの警備員さんが、ここに立っていていい、と言ってくれたんです、と私が説明する。

背の高い警備員は、その警備員に目をやると、ぼそっとつぶやいた。

あれは僕の上司だからな。逆らうわけにはいかないな。

そして、初めて、私を見て、ほほ笑んだ。

思わず、彼に抱きつきたくなったが、丁寧にお礼を言うだけに留めておいた。つい先ほどまでは、宿敵だったのだから。

あの……警備員さんたちは、テロリストや半狂乱のファンを取り締まるために、待機しているんですか、と彼に聞いてみる。

それもある、と答えた彼。言い添えたかっただろう。

それと、君をね、と。

「ニューヨークの想い（*New York State of Mind*）」では、オレンジ色に輝くマンハッタンの夜景が、スクリーンに大きく映し出され、熱気と興奮は最高潮に達した。

前座を含めて三時間のコンサートが終わった。私は、床の上にゴミと散ったポップコーンの巨大なバケツと荷物を手に、警備員の待機場所へ駆け寄った。

私が椅子から転げ落ちて怪我でもしたら、警備員にも迷惑をかけることになっただろう。わがままを言って申し訳なかった。

ごめんなさい。ご親切にありがとうございました。私が言った。

背の高い警備員が、笑顔でうなずいた。そして、隣にいた彼の上司が言った。

That's okay. I want you to go home happy. That's all that matters.

Okay? Are you happy?

いいんだよ。君にハッピーな気分で、家に帰ってほしいんだ。それが何より大事なことだ。いいかい？　君はハッピーかい。

おかげさまで最高にハッピーな気分だわ、と私が答える。

Okay, good.

そうか。それはよかった。

そう言うと、ふたりが揃って、私に向かって親指を立てた。

I'm in a New York state of mind.

私はすっかり、ニューヨークな気分になっている。

I'm in a New York state of mind.
私はすっかり、ニューヨークな気分になっている。

第７章
出会い、再会、そして別れ

秘密を打ち明けて

その人は遠慮がちに私の前に現れた。

私も、日本に行ったことがあるんです。

まるで、何か大きな秘密でも打ち明けるように、そう言った。

高齢のアメリカ人男性だった。

十六年前の夏、ニューヨークから米北東部にあるマサチューセッツ州の小さな町に越した友人のジェインを訪ねていた。彼女が誘ってくれた、ホームパーティでのことだった。

別の人が日本を訪れた話を私にするのを、その人がそばでずっと聞いていたのには、気づいていた。

高齢の男性は、終戦直後に長崎で撮った写真も持っているという。

ぜひ、写真を見せてください。

私がそう言うと、驚いたようだったが、いつでもどうぞ、と答えた。

後日、その男性、ドナルドの家を訪ねた。皆、彼をドンと呼んでいた。

通された部屋の壁には、硫黄島で米兵が星条旗を掲げる、あの有名な場面のポスターが貼られ、クローゼットには、米海兵隊のユニフォームがかけられていた。

かび臭いアルバムを開くと、原爆で焼け野原となった長崎が、目の前にモノクロで現れた。

私は硫黄島で戦いました。

唐突に、ドンが言った。

アルバムを挟んでわずか五十センチ向こうに、彼はすわっていた。

日本人と、このくらい間近で。

ドンは、隣にすわる私との距離を示した。

その瞬間、笑顔のやさしい彼が、〝敵〟に変わった。

小笠原諸島の硫黄島では、太平洋戦争末期の一九四五年二月から三月にかけて、日本軍と米軍で激戦が続いた。この島は米軍にとって、B－29爆撃機による日本本土空襲の中継基地として、重要だった。

米軍は「五日間で陥落(かんらく)できる」ともくろみ、多数の艦艇と航空兵力の援護のもとに、海兵隊員六万一千人を島に上陸させた。その米海兵隊員のひとりが、ドンだったという。

二万三千人の日本軍守備隊は、本土への攻撃を阻止(そし)するために、全長十八キロの地下壕を掘り、徹底した持久戦で抵抗した。火山活動の地熱で、壕の中は六十、七十度にも達したといわれる。

日本軍は三月十七日に玉砕した。ほぼ全員が戦死か自決、アメリカ側も七千人近くの戦死者を出した。

私はドンの目をじっと見つめていた。

こんなことを聞くべきではないと、わかっています。

ドンは無言で私の言葉を待った。私はためらいながら、口にした。

あなたは、日本人を殺したのですか。

そんなことを。君は聞きたくないはずだ。

殺したんですか。

ドンは間を置いて、答えた。

殺さなければ、殺されていた。

君は、私が言葉を交わした初めての日本人だ。長崎の写真を見たい、と言ったとき、正直、驚いたよ。日本人は今もアメリカ人を憎み、恨んでいると、ずっと思っていた。

しばらく沈黙し、ドンは話し始めた。

僕は前にも、日本人に会ったことはある。トラックの点検のために、日本人の男がふたりやってきた。ふたりとも必要なこと以外、何も話そうとしなかったんだ。

英語がうまく話せなかったのかもしれません。

いや、そうじゃない。アメリカ人である私に、敵意を抱いていたんだ。

あなたに敵意を抱く理由は、何もないわ。それは誤解ですよ。

いや、あの目は確かに、敵意に満ちていた。

ドン、私の夫の母は、広島の原爆で両親と兄を一度に亡くしました。

そう私が話し始めたとき、彼の妻、コニーが入ってきた。

サンドイッチを作るから、一緒にランチを食べましょう。

私は恐縮しながら、礼を言い、原爆の話を続けた。

義母の父親は、友人が遺骨にして届けてくれた。水をくれ、と言いながら、死んでいったという。母親は生きて見つかった。ショックが大きいからと、十歳だった義母は会うことを許されないまま、母親は原爆投下二週間足らずで息を引き取った。

お義母さん、アメリカ人を恨んでいないの、と聞いたら、義母は私に言ったんです。

恨んではいないよ。戦争だもの。日本人だって、ずいぶん、ひどいことをしてきただろうに。

話を聞きながら、コニーが私の横で泣いている。

敵同士だった私たちが、こうしてあの戦争を語ることができる時代になったんですね。

私の言葉に、ふたりがうなずいた。

その後、ドンからEメールが届いた。

I did enjoy meeting and talking with you. As you now know, Japan made a lifelong impression on me. When we first met, I really had no idea what I could say to you. As it turned out, it was a memorable experience. I hope you can find time in your busy life to come back to our home someday with your husband. You have a standing invitation. Connie sends her love and also looks forward to seeing you again.

Don

君と会って、話せて、本当に楽しかったよ。君ももう知っているように、日本は私に、生涯忘れることのできない影響を与えたんだ。最初に会ったとき、君にどんな言葉をかけたらいいのか、まったくわからなかった。でも、結果的には、忘れられない体験になったよ。忙しいとは思うけれど、時間をみつけて、いつかご主人と一緒に、私たちの家にまた来てほしい。いつでも大歓迎だよ。

コニーがよろしくと言っている。彼女も君にまた会えるのを、心待ちにしているよ。

ドン

You have a standing invitation.

いつでも大歓迎だよ。

越えられない壁

その後、ドンと何度かEメールをやり取りした。私の返信が遅れると、彼は心配した。元アメリカ兵なんかと連絡を取るな、と君の夫が怒っているのかと思ったよ。

出会った翌々年の一月、コニーが心臓発作で急死した。

ドンが近くの店に買い物に行き、戻ってくるとコニーが倒れていたという。

その半年後の夏、夫と一緒にドンを訪ねた。彼は大歓迎してくれた。

しばらく、コニーの話をしてから、硫黄島のことを聞きたい、と私が言った。これまで誰にも、あのときの詳しい話をしたことはない。こんな話を日本人にすることになるとは、と言いながら、ドンは少しずつ、語り始めた。

戦場で私は二度、九死に一生を得た。日本軍は天然の洞窟(どうくつ)や岩場を利用して、地下陣地を作っていた。洞窟に入ると、そこに日本兵がいた。私は銃を向けた。が、砂が詰まって引き金が動かない。もうだめだ。と思ったとき、相棒が駆け込んできて、日本兵を撃った。

二度目は寝込みを襲われた。股の間に弾が飛んできた。ほんのわずかのずれで、死んでいた。

ドンは深く息を吸った。

日本兵は下着の下に、日の丸を巻いていたよ。そうする習慣があるのだろうね。出征のとき、家族が言葉を書き添えたらしい。私も何枚か、持ち帰った。

彼は、当時、米兵に渡された冊子を私に見せた。日本兵はいかに野蛮で危険な人種かが、百二十数ページに渡って書かれている。

だから、「WE MUST KILL（殺さねばならない）」。

もう必要ないから、ほしければ君にあげるよ、とその冊子をくれた。

それから、三人でコニーの墓参りに行った。墓石には彼の名前も彫られていた。

その下に刻まれていた文字を見て、私はショックを受けた。

IWO JIMA SURVIVOR

硫黄島生還者

二年前の夏に、コニーと三人で、今の平和を喜び合ったはずだった。

硫黄島で戦ったとき、ドンはたった十八歳の青年だった。その四倍以上を生きてきたのに、硫黄島から帰還した兵士としてこの世を去ることが、ドンの何よりの誇りなのか。これが彼を支えてきたものなのか。

親しくなっても越えられない壁があることを、私は受け入れたくなかったのかもしれない。いつしか、どちらからともなく、音信が途絶えた。

どうしているだろう、とときどき、思い出した。高齢だったから、悲しいニュースを聞くのが怖くて、連絡する勇気がなかった。

昨年、思い切って、ドンに会うきっかけを作ってくれた友人のジェインに、電話で尋ねた。ドンは、どうしている？

元気よ。この前、芝を刈っているのを見かけたわ。あれから再婚して、楽しそうに暮らしているわよ。

ドンを驚かせたいから、私から電話があったことは言わないで、とジェインに頼んだ。

数日後、ドンに電話した。

覚えていないかもしれないけれど、日本人のミツヨです。

そう言い終わらないうちに、ドンは歓声をあげた。

Of course I remember you. I don't forget you.

もちろん、覚えているさ。君のことは忘れないよ。

ドンは元気そうで、豪快な笑いもユーモアも、変わっていない。

君に会ったことを、みんなに話していたんだよ。いやあ。八十九歳にもなると、たいていのことじゃ、驚きゃしないんだが、君から電話がくるとは。今日はなんていい日なんだ。

できたらまた会いにきてほしいな、とドンが言った。

はい。会いにいきます。

It's a date.

約束だよ。

そして、私に確認するように、繰り返した。

It's a date we have.

僕たちふたりの約束だ。

U.S.
POSTAL SERVICE
Worthington, Ma 01098

硫黄島からの手紙

ドンと電話で話した二週間後、私はニューヨークからマサチューセッツ州へ向かうバスに乗っていた。スプリングフィールドに到着すると、ドンが私を待っていた。「IWO JIMA SURVIVOR」（硫黄島生還者）と書かれた野球帽を被って。

自分で車を運転し、一時間半もかけて迎えに来てくれたのだ。バスが二十分ほど遅れたこともあって、バスステーションで一時間近く、待っていた。

ドンは、コニーが亡くなった翌年からアンと暮らし始め、二年前に再婚していた。初めて会った私を、アンは笑顔で迎えてくれた。

みんなで話していると、窓の向こうに二重の虹がかかっているのが見えた。

かつて敵同士だった私たち、そして、あの頃と今を、つないでいるかのように。

その夜、彼らの友人も招き、有機野菜たっぷりの夕食を用意してくれた。バターを取るなどちょっとしたことをアンに頼むときでも、ドンは必ず、Thank you, dear.（ありがとう）と愛情のこもった言葉をかける。

十時過ぎまでおしゃべりし、友人が帰っていった。
おやすみなさいのハグをし合ったとき、ドンが私に言った。
It's really nice to have you here. It's like having a daughter come home.
君が訪ねてきてくれて、本当にうれしいよ。娘が家に戻ってきたみたいだ。

私はドンの家に二泊した。

翌朝、私は五時頃、目が覚めた。ふたりはまだ寝ている。私はカメラとパソコンを手にそっと家を出て、庭の広いテラスで書き物をしていた。しばらくして、家の中に入ろうとすると、玄関のドアが開かない。私がロックをいじったのか、ドアを閉めると、外からは開かなくなってしまったようだ。

晴れて気持ちのよい朝だったので、辺りをひとりで散歩することにした。家の前の小道は、背の高い木々に囲まれ、森の中を歩いているようだった。

一時間ほどで戻り、ドアのガラス窓から中をそっとのぞいてみると、階段の途中に立って、ドンが大きな声を立てて笑っている。

自分で自分を閉め出しちゃったのか。ヘイ！　手に持っているものと一緒には、家に入れてやらないよ。

私の手にはカメラがあった。前日、ドンの写真を何枚も撮ったので、からかったのだ。

ドンに会いたかったのはもちろんだが、またぜひ、戦場での体験を聞きたかった。
それはドンもわかっていた。喜んで話すよ、と言ってくれていた。
硫黄島について、戦友とさえ詳しい話はしない。それなのに、なぜ君には話している
のか、自分でもわからないよ。
そう言いながら、何時間も私の問いに答えてくれた。
ドンは十七歳で海兵隊に志願した。厳しい訓練を受け、硫黄島へ送られた。
恐怖で気が狂いそうだったよ。日本兵は自分の命を惜しいと思っていないのか、捨て
身でかかってくる。
日本兵は、そう教えられていましたからね。
そうだ。そういう教育を受けてきたんだ。
話しながら、ドンはたまに口を閉ざした。
それには触れたくないんだ、と。
やがて私は、戦いから七十年以上たった今も、彼が重度のＰＴＳＤ（心的外傷後スト
レス障害）に苦しんでいることを知った。
若い頃は家族を養い、仕事も忙しかった。戦争で命を奪い合った残虐な体験は、心の
底に埋もれていた。二十年ほど前に、消息のわからなくなっていた戦友と、数十年ぶり
に電話で話せた。懐かしかった。が、そのとき、戦友が、ドンが忘れていた生々しい体

験を語り始め、突然、記憶が蘇ったのだ。

さらに十年ほど前、〝本物の戦争〟の体験を聞かせてくれ、とアンの兄にせがまれた。彼はベトナム帰還兵だった。太平洋戦争、しかも激戦地の硫黄島からの生還兵であるドンは、英雄なのだ。

あまり当たり障(さわ)りのない戦争体験を話した。

その夜、ドンは夢のなかで、日本兵にナイフで襲われた。やらなければ、殺される。

身を守るために、自分はとっさに、あのときと同じことをしようとしていた。

目が覚めると、そこにアンがいた。

このままでは、いつかこの手で家族を傷つけてしまう。

すぐに精神科医に助けを求めた。

私が会ったときも、月に二度、ほかの帰還兵と治療に通っていた。

今、君の前にいる私と戦場のあの私は、別人なんだ。

ドンがつぶやいた。

でも、私たちは、兵士（soldiers）であって、殺人者（murderers）ではなかったんだ。第一次世界大戦で、敵同士の兵士たちが撃ち合いをやめて、それぞれの塹壕(ざんごう)から出ていき、ともにクリスマスを祝い、またそれぞれの塹壕に戻っていった、という話があるだろう。

大戦が勃発(ぼっぱつ)した一九一四年、最前線で戦っていたドイツとイギリスの兵士たちが、武器を置き、ともにクリスマスを祝った「クリスマス休戦」だ。物資の〝プレゼント〟交換をしたり、一緒に記念撮影をしたり。合同で遺体を埋葬し、ボール代わりに空き缶を使ってサッカーの親善試合をしたともいわれている。

私たちは温かい血の流れる人間なんだよ。殺したくて、殺しているのではない。それは、敵も味方も同じなんだよ。それが、ドンの心の叫びなのだ。

私に話すことで、PTSDが悪化するのでは、と心配だった。

話していて、大丈夫？　と何度も確かめる私に、ああ、大丈夫だ、とドンは答えた。


最後の日、一緒に映画「硫黄島からの手紙」を観た。ドンがビデオを持っていた。日本兵の視点で描かれた作品なのに、あれはよかった。また観てもいい、と言ったのだ。

アンが、レモネードとチーズ、クラッカーを持ってきてくれた。

米軍が硫黄島に上陸した場面で、ドンがつぶやいた。

私はまさに、あそこにいたんだよ。

ドンは言葉少なに見入っていた。

Are you all right?

大丈夫？

私は何度か声をかけ、ドンの肩をさすった。ドンはうなずいた。

あの少年は無事なのよね？

登場する日本兵のために祈るかのように、アンが私たちに聞いた。

私は驚いた。その〝少年〟は、ドンの敵だったのに。

映画を観終わって、ドンが深く息をついた。

初めて観たときより、胸に迫るものがあったよ。

あとでアンが、私に教えてくれた。

初めてあの映画を観たとき、ドンは二日間、口をきかなかったのよ。


その前日、私はドンに赤いだるまを手渡した。

片目だけ黒く塗ってね。願いごとが叶ったら、もう片方の目を入れるのよ。でも、ドンの願いは、私が決めたの。またいつか、私と会うこと。

All right.

よし、わかったよ。

ドンは笑って、黒いマジックで目を描き入れた。

別れ際、ドンが言ってくれた。

何でそんなに急いでニューヨークに戻らなきゃならないんだい。今度は、もっと長くいてくれよな。

It's really nice to have you here.
君が訪ねてきてくれて、本当にうれしいよ。

だるまさん、お願い

今年三月、ドンが肺疾患で重症だと聞いた。肺の機能がかなり低下しているという。夏に会ったとき、話しながらときどき、咳をしていたのが、気になった。が、心配することはない、とドンは言っていた。

ドンとアンは厳冬を避けて、例年のようにしばらくフロリダ州で過ごしていた。

六月、マサチューセッツ州の自宅に電話した。電話に出た男性が言った。

ドンはもう話せる状態ではありません。妻のアンに替わりましょう。

ミツヨ？　相手が私と知ると、アンは一瞬、とてもうれしそうな声に変わった。が、すぐに暗くなった。

Mitsuyo, Don is dying.

ミツヨ、ドンはもう長くないの。

長くない、って。どういうこと？

もう何も口にしなくなったの。

長くないって、どのくらい？

……あと五日くらいかしら。わからないわ。

ドンと話してみる？　あなたから電話が来たって言ったら、うなずいていたわ。

枕元に受話器を持っていき、スピーカーフォンに切り替えたようだ。

ハロー。弱々しいドンの声がする。

ドン、覚えてる？　ミツヨよ。日本人のミツヨよ。

Of course I remember you. I don't forget you.

もちろん、覚えてるさ。君のことは忘れない。

一年前に、十数年ぶりにドンに電話したときも、そう言ってくれた。息が苦しそうだったが、一生懸命にゆっくり話そうとしている。はっきりした声だった。

声が出なくなっちまって。なぜか急に、こんなことになってしまったんだよ。もうこのまま、死ぬのかな。

私は必死に叫んだ。

何、言ってるの。ドン、私、会いに行くから。そうしたら、またいろんな話して、いっぱい笑って、ドンはまた元気になるのよ。

会いに来てくれるのかい？　来てくれたら、どんなにうれしいか。

会いに行くわよ。あさって日本を発って、ニューヨークに行くわ。空港からそのまま、ポートオーソリティのバスターミナルに向かって、バスに乗り込むから。そっちに着くのは、木曜日よ。待っていてね。

わかったよ。

電話口にアンが戻ってきて、驚いていた。

ドンがあんなにはっきり話していたなんて。しばらくなかったことなのよ。

アン、私、会いに行ってもいいかしら。

Oh, Mitsy. It would mean the world to Don.

ああ、ミッツィ。ドンがどれだけ喜ぶか。

もうひとつ、目を入れなければ、ならないものね。

アンが言った。

だるまのことを、アンはちゃんと覚えていた。

It would mean the world to Don.
ドンがどれだけ喜ぶか。

そして果たした、涙の約束

私のスーツケースには、緑色のだるまが入っていた。ドンに会ったら、赤いだるまを両目にして、このだるまの片目も塗ってもらおう。そうすれば、彼は生き続けてくれる。

成田からニューヨークまで十二時間半の空の旅。空港からバスターミナルへ移動し、マサチューセッツ州まで四時間半のバスの旅。まったく眠れず、丸二日間、寝ていない。

ドン、待っていて。

祈る思いでバスに揺られていたとき、ジェインからEメールが届いた。

Mitsuyo, Don has died.

ミツヨ、ドンが亡くなりました。


迎えに来てくれたジェインの車で、ドンの家に向かった。

アンは友人たちと、玄関先に立っていた。

アンと私は、黙って抱き合った。

遠くから本当にありがとう、と言って、周りにいた人たちに私を紹介した。

どうしてもっと早く、会いに来なかったのか。

自分を責める私に、そばにいた男の人が言った。

You were here in spirit.

君の心は、ここにともにいたよ。

日本から電話したとき、最初に出た男の人で、ふたりが家族のように親しくしている人だった。


ドンに声をかけ続けていたんだ。日本からミツヨが会いに来るよ、って。ドンはうなずいていたよ。でもきっと、あの世に行く準備ができていたんだね。

せめて、遺体と対面できると思っていた。が、ドンはもう、家にはいなかった。

ドンが寝ていたベッドも部屋も、そのままになっていた。

きれいに改装された地下の一室。半年前に、私が泊まった部屋だった。

この部屋の前で、ドンが私を抱きしめて、言ったのだ。

It's really nice to have you here. It's like having a daughter come home.

君が訪ねてきてくれて、本当にうれしいよ。娘が家に戻ってきたみたいだ。

ベッドのサイドテーブルの上に、ドンの時計、そして指輪がふたつ、置かれていた。

指輪のひとつに刻まれていたのは、MARINES（米海兵隊）の文字だった。

九十年の人生で、ドンが経験した戦場は、一か月あまりの硫黄島の戦いだけだった。その経験が七十年間も彼を苦しめ続けたというのに、米海兵隊員として国のために戦ったことは、彼の一生の誇りだったのだ。

一か月あまりの戦いだけって言うけど、That was enough.（もう十分。たくさんだろ）、と半年前、ドンは私に笑いながら話していたっけ。

翌朝、ドンがいつも食べていた朝食を作ってあげるわね、とアンが私に用意してくれた。チーズ入りスクランブルドエッグと、ストロベリーとグレープのジャムを添えたトースト。インスタントのネスカフェ・コーヒーには、クリーミングパウダーを入れて。ミツヨ、ドンがいつもすわっていた場所にすわって。

アンが言った。

ドンは死期が近づくと、ナイフで襲いかかってきた日本兵の話をよくしたの。話しながら、いつも泣いていた。あのとき、目の前にいたのは敵ではなく、彼と同じあどけない少年だったのね。あなたと出会って、ドンはとても癒（いや）されたと思う。

死期が近づくと、ドンは牧師に聞いたという。

天国に行けるかな。地獄にはもう行ったからな。

葬儀場は車で一時間近く離れたところにあったが、私がドンとお別れができるように、手配してくれた。入口に立って待っていた係員が、私たちを部屋に案内した。

ドナルドさんは、自宅のベッドにいたときと同じように、こちらの部屋で寝ておられます。

ドンは青い目を開けたまま、横たわっていた。化粧も施されていなかったから、生きているようだった。

ドン、会いに来たよ。約束のだるまの目を一緒に入れようね。

その透き通る美しい目で、ドンが見えるように、顔の前にだるまをかざして、マジックで塗った。

ドンの遺体は本人が望んだように、火葬された。

両目の入った赤いだるまは、遺灰の一部とともに、前妻コニーと一緒の墓に埋葬された。

「IWO JIMA SURVIVOR」（硫黄島生還者）と墓石に彫られた、あの土の下に。

You were here in spirit.

君の心は、ここにともにいたよ。

あとがき

今年五月、オバマ大統領が広島を訪問した。オバマ氏が被爆者を抱き寄せるのを、胸が熱くなる思いで見守った。

そして、公式フェイスブック・ページに、その一文にだけ英文を添えて投稿した。

It was very moving to see President Obama hug a survivor in Hiroshima today.

すると、見知らぬ高齢のアメリカ人女性が、英文のコメントを寄せた。

Yes, we all hugged that man!

そう。私たちみんなが、あの男性を抱きしめました。

アメリカが広島に落とした原子爆弾は、私の夫の母から、両親と兄を奪った。

私は長年、ニューヨークをはじめ、アメリカで暮らしてきた。が、原爆の話になると、いつも心のどこかで、アメリカ人が〝敵〟に変わっていくのを感じる。私が初めてドンに会った頃、硫黄島で日本兵を殺したことを、話してくれたときと同じように。

でも、いつしかドンは、私の大切な友になっていった。ドンは、命を奪い合った日本人の血が流れる私を、何度も抱きしめ、私も彼を何度も抱きしめた。

広島と長崎に原爆が落とされ、八月十五日に終戦を迎えた。

日本の統治下の韓国で生まれ育ったグレイス先生にとって、その日は祝日だ。

「私たちは苦しんだ。けれど、過去は過去です。大切なのは、今日と未来です」、「心の交わりが、国の交わりの基礎だ」と彼女は言う。

戦争は人を狂わせ、人間の尊厳を奪う。敵であろうと味方であろうと、同じ人間として、私たちは苦しみを感じることができる。今、私たちにできるのは、戦後、何十年経っても癒えない傷を負う人を、敵味方を越えて、〝抱きしめる〟ことだ。そして、その苦しみを受け止めようとすることだ。

何年か前に、広島を訪れたとき、書店に立ち寄った。「ニューヨークの魔法」シリーズに飾られた、書店員の手書きポップの文字を読み、衝撃を受けた。

「寒さや辛さを和らげてくれる温かい話たち」

このシリーズについて聞き慣れた言葉だが、そこがヒロシマだったからだ。

ヒロシマがニューヨークに癒される？　そんなことがあり得るのか。

でも、今はYes.と言える。ニューヨークはたくさんの問題を抱えながらも、これだけ多種多様な人たちが、手を取り合って暮らしている。そのこと自体、奇跡ともいえる。
バラの花をすべて買い取った男性と花売り女性の「奇跡の約束」。地下鉄で他人同士の若い女性とホームレスの男性が、指を絡ませ、交わした「小指の約束」。こうした小さな「約束」が、平和への大きな「約束」につながっていくと、私は信じたい。

ご多忙のなか、愛に満ちた文章を書いてくださった加藤タキさん。解説を読んで泣きました。お母様にお会いしたかったです。

いつも、スタイリッシュで、それでいて温かみのある装画を描いてくださる上杉忠弘さん。表紙だけでも、シリーズで揃えたくなります。今回は、この本の最後に掲載した、私が撮った写真を参考に描いてくださり、私にとって特別な一冊になりました。この公園は、ニューヨークのワシントン・スクエア・パークです。

わがままな著者のために最後まで無理してくださった、ベテラン編集者の北村恭子さん、心から感謝しています。恩師、E・L・ドクトロウの翻訳書を編集したことがあると知り、感慨も一入です。

デザイナーの大久保明子さん、ご苦労をおかけしました。目を引く粋（いき）な表紙はもとより、本の中の、スナップ写真を「ぽん」と置いた感じが好きです。

校正、印刷、営業の方々にも、お世話になりました。

的確なアドバイスと励ましで支えてくれた元上司の小森孝光さん、友人の Clay Eicher さん、ありがとうございました。

最後に、夫の塩崎智へ。マンハッタンの市庁舎で、結婚の誓いの言葉を封印するキスは拒んだけれど、あのときの「約束」どおり、ずっと一緒に歩んでくれてありがとう。

左のこの写真は、山法師（やまぼうし）の木。英語で「日本のハナミズキ（Japanese dogwood）」と呼ばれる。ドンが亡くなった朝、日本の人たちが彼を〝抱きしめ〟、戦争のない世界へと見送るかのように、友人のジェインの庭に咲いていた。

岡田光世

This book is dedicated to Don.
この本をドンに捧げる。

解説

加藤タキ

なんと表現したら良いのだろう。この、読後感。

岡田光世さんが、またしてもやってくれた。

異なる文化、人種のるつぼと言われる大都会・ニューヨークの、日常のささやかな営みの中に心に深く染み入る感動。その数々を、いつも自然体で好奇心の赴くままの言動をする光世さんが、感じたままをリズミカルに、今回も素直な文章に置き換えてくれた。

ほっこりした温かい気持ち。爽やかなスッキリ感。気がつかなかったこと、共感することがいっぱいある。このシリーズの特徴のひとつ〝小粋な英語のフレーズ&光世流の訳〟が随所に出てきて、鮮度の良い英語表現を味わいながら学べるお得感も嬉しい。

人はひとりでこの世に生を受け、ひとりでサヨナラをしていく。しかし、ひとりでは生きられない。厳しいことも多々あり戸惑うことや失望することもあるけれど、優しいふれあいもたくさん体感しながら、自分の人生を全うしていく。毎日の生活の中でどれだけ優しいふれあいがあるかは、どれだけ自分にその気があるかにもよるのではないだろうか。そう、背中をポンッと押してくれその気にさせてくれるヒントが、光世さんの

『ニューヨークの魔法の約束』には溢れている。見過ごしてきたかもしれない瞬間の出来事にふっと心を寄せている自分を、新たに発見できるかもしれない。

そのひとつが、著者の「はじめに」にこう記されている。

――この街は意外にも、オープンでフレンドリーである。横柄で愛想のない人に出会っても、めげずに心を開けば、それを実感するはずだ。――

そもそも〝出会い〟とは、降って湧いてくるものではない。まず自分が〝心を開く〟こと。次に自分が〝出る〟という行動に移す。そこで初めて〝会える〟のでは？　光世さんがアメリカでいくつもの優しいふれあいを体験しているのは、彼女自身がオープンでフレンドリーだからなのだ。人は、自分の本来の性質、性格はなかなか変えられないが、自分の気持ち次第で、行動は変えることができる。もっとオープンになってみようかしら、と読者も感じるのでは？　人と人をつなぐたくさんの「優しいふれあい、温もりの出会い」は、日本のどこかでもきっと日常的に交わされていると思いたい。

どの章も愉しいが、本書の中で私が読みながらおもわず笑ってしまい、のちに頷いたのは、著者がマディソン・スクエア・ガーデンにビリー・ジョエルのコンサートへ行ったときの「A New York State of Mind　ニューヨークな気分」の話。

身長百五十センチほどの光世さんがバケツサイズのポップコーンを抱え、総立ちの大観衆の中でどんなにジャンプしてもステージは見えない。そうだっ、と椅子の上に立ち上がるやいなや大柄の警備員に叱られ、ポップコーンのバケツを蹴飛ばしては中身をこぼし、を繰り返す。泣きべそ面で必死の光世さんを想像すると、つい笑っちゃう。が、ユーモア感覚のある警備員との優しいふれあいがあり、結果、彼女はハッピーに。あぁ日本にも、こういう警備員さんがいたらなぁと……いえどこかには、きっといる?

このシリーズ七冊目の中で私がことに心して読んだのは、最終章の「出会い、再会、そして別れ」に出てくるドンさんとのエピソードだ。

アメリカ兵だった当時十八歳のドンさんは一九四五年、硫黄島で日本兵と戦った。日本軍は一ヶ月後の三月十七日に玉砕。アメリカ側も七千人近くの戦死者を出したという。九死に一生を得た彼が五十五年の歳月を経て初めて言葉を交わしたかつての敵日本人が、光世さんだ。お互いを見つめあいながら静かに流れるその時間と空気感。封印していた当時の苦しみを絞り出すように語るドンさんと、小さな体と大きな心で聴く著者。ふたりがお互いを大切な友と感じあい、交わした「大切な約束」。行間から、著者の涙ながらの深い思いがヒシヒシと伝わってくる。日本人のひとりとして、私は光世さんに言いたい。「心より、ありがとう……」

最近の日本の若い世代の中には、C・イーストウッド監督、渡辺謙、二宮和也らが出演し数々の受賞歴もある映画『硫黄島からの手紙』が話題になるまで、かつて日本がアメリカと戦ったこと、敗戦のあと日本人が暗闇と混乱の中から立ち上がり、努力して築き発展させ、今日のこの国の姿が在ることを知らない人が少なからずいると聞き驚いた。
ひとりでも多くの若者に、特にこの章を一読してもらいたいと切に願う。

さて、私自身もニューヨークとはかなり縁がある。初めてプロペラ機でニューヨークの空港に降り立ったのは、まだ一ドルが三百六十円の一九五九年。中学三年生、十四歳だった。その夏、母が出席する国際会議にお供して様々な異文化にふれた私は、将来の自分のためにアメリカ人をもっと知りたいと強く思い、英語力は小学二年生程度だったがチャンスを活かし、ニューヨーク郊外で八ヶ月間ホームステイを決行した。当時世界一の超高層建物、エンパイア・ステート・ビルの展望台から五番街を見ると、あんな高いところからでも前後がツンと長〜いアメ車の列の中に、まるでマッチ箱のような小っちゃ〜い日本車を見つけ、嬉しさと落胆の複雑な気持ちだったことが忘れられない。昨今一ドルが百円前後、ニューヨークのイエローキャブがほぼ日本車だなんて、あの頃誰が想像しただろうか。

母が私を産んだのは四十八歳のとき。父は五十三歳だった。日本人の平均寿命が五十歳前後の時代。いつ自分たちがこの世を去ってもひとまずは自活できるように育てようと、勇気と決意を持って両親は子離れを心がけ、早くから愛娘に自立を促した。〝自分の頭で考え、踏ん張り、心で感じることのできる人間に〟と導かれた私が、高校卒業後アメリカ留学を経て国際間のショービジネス・コーディネーターとなって活躍できたのは、好奇心が旺盛で人間を怖がらないからかもしれない。どんな人種、地位にあろうと人間は皆赤い血が流れ、本質は同じであると信じている。そんなところは、光世さんと同じ回路で思考、行動しているのかなぁと思う。

二〇〇一年に百四歳の天寿を全うした母から聞いたニューヨークのエピソードも、興味深い。

一九一九年、最初の結婚でまだ乳飲み子をふたり抱えていた母が、大正デモクラシーに燃え労働運動を学んでいた当時の夫に「これからは女も手に職を持たなければ生きていけない時代になる」と強く促され、二十二歳のとき息子たちを実家に預け、一年間ニューヨークYWCAバラード・スクールに留学した。ブロードウェイのはずれのアパートでは、毎晩ゾロゾロと南京虫がはって痒くてつらかった、と。交通がまだ発達していない静かな東京から来ると、ニューヨークという巨大な都市は耳がおかしくなるのではと感じるほど騒音のるつぼで、重苦しい空気だった、と。秘書学コースの勉強には、たったひとりの日本人として恥ずかしくないよう一心に励んだ、と。

そんなある朝、雪で凍った道でスッテンと転び尻もちをついたなと思った瞬間、見知らぬアメリカ人男性が母を支えてくれていた、と。乗り物でもチャンと腰かけるまで誰か男性が必ず荷物を持ってくれている。ニューヨークには、どんな女性に対しても何気ない男性のサラリとした優しさが溢れていたそうで、寂しくて泣きたい気持ちの母はそんな自然体のふれあいに心が和んだ、と。

母が大好きなニューヨークのエピソードをもうひとつ。

一八五八年、日米修好通商条約が締結され、江戸幕府はアメリカに使節団を派遣することになった。二年後、勝海舟、福沢諭吉らが渡米。その時の話だと思うが、ブロードウェイを武士たちがチョンマゲにハカマ姿でパレードをしたという。彼らの姿を一目見ようと道の両側に五十万人ものアメリカ人が殺到する中を、ニコリともせず、まっすぐ前を向いて歩いて行ったとのこと。言葉は通じなくても、その武士たちに表れた毅然たる態度、品格に、ニューヨーカーは恐れ入って、尊敬したという。母が生まれる数十年前の出来事だが、この話をするとき、日本人が日本人としての誇りを発揮していた頃のエピソードとして思い起こすらしく、いつも愉快そうだった。

光世さんと私の母を会わせたかった。さぞやユーモアに満ちた笑いの絶えない、そして、優しく建設的なふれあいだっただろうな……。

光世さんの「ニューヨークの魔法」シリーズは、この後も続くに違いない。続編とともに私が心待ちにしているのは、岡田光世「ニューヨークの魔法」シリーズ・カラー&モノクロ写真展。彼女の撮った何気ない写真は、シリーズの美味しいスパイスだ。ぜひとも近い将来、実現してください！

（コーディネーター）

ニューヨークの魔法のことば

相手も自分も幸せにする、魔法の言葉と粋なユーモアが満載。留学先のウィスコンシン州の小さな町のエピソードも、涙なしに読めない。

第4弾

ニューヨークの魔法のさんぽ

出会いを楽しみながら、散歩している気分になれる。テロを乗り越えた街は、温もりと勇気をくれる。著者撮影のカラー写真収録。文庫書き下ろし。

ニューヨークの魔法のじかん

野球音痴の著者のヤンキース取材など、シリーズ最強の珍行動が満載。震災地での心温まる出会いを綴る東北編も特別収録。文庫書き下ろし。

第6弾

ニューヨークの魔法をさがして

NYってどんな街? 著者が自分や人々に語りかけながら、魔法を探す旅。人も自分も愛おしくなる。映画のひとコマのような著者撮影の写真も。

ニューヨークの魔法の約束

定価はカバーに表示してあります

2016年12月10日　第1刷

著　者　岡田光世

発行者　飯窪成幸

発行所　株式会社　文藝春秋

東京都千代田区紀尾井町 3-23　〒102-8008
TEL　03・3265・1211
文藝春秋ホームページ　http://www.bunshun.co.jp

落丁、乱丁本は、お手数ですが小社製作部宛お送り下さい。送料小社負担でお取替致します。

印刷・大日本印刷　製本・加藤製本

Printed in Japan
ISBN978-4-16-790757-0